田中宥《ゆ》久《く》子《こ》の体整形マッサージ

――美しき一枚皮――

田中宥久子の体整形マッサージ

今年、還暦を迎えた私は、こんな質問をよく受けます。〝スキンケア以外にどんな肌ケアをしていますか?〟〝若さの秘訣はなんですか?〟と。実際にはスキンケア以外には、私が編み出した顔筋マッサージを進化させた〝造顔マッサージ〟しかしていません。1日3分、メイクの前にするだけ。これで十分。肌のたるみやシワは消えるし、余分な脂肪がない顔を維持することができるからです。

ただし、他人の目がその人の印象年齢を決めるのは、顔だけではありません。〝体も含めた印象〟こそが、その人の見た目年齢を決めているのです。

例えば、顔は肌にたるみやシワがなく実年齢より若い。けれど首から下の体に余分な脂肪が溜まり、たっぷりとしている。他人は顔だけを見ているわけではないので、印象年齢は当然、老けてしまう。自分でもメイクはうまくでき美しい顔になったと思っていても、ショーウィンドウに映った自分の姿を見て、愕然とすることはないですか? 背中に余分な肉がつき背筋を伸ばしても丸く猫背に映

Prologue

る。あるいは、二の腕や腰回りがもったりとしている……。年齢を重ねるほどに、ベースメイクだけでは肌が若くならないように、体型も服だけでは誤魔化せなくなってきます。

そして何より、体が重いと精神まで重くなり、元気でいられない。私自身、2度の妊娠と更年期障害を経験し、46キロだった体重が70キロ台まで激太りしたときは、美に対する意欲が失せるだけでなく、仕事もプライベートも無気力になり〝どこまで太るか見届けてやろう〟と現状に甘え、開き直っていました。

肌が老けるのは手入れを怠けた自己責任であるように、体の管理ができないのも自己責任。今さら何をしても手遅れだろう、と思い込んでいるだけ。美容に関しては手遅れなど、本当は何ひとつないのに――。

なぜなら、顔も体も「一枚皮」。一枚の皮膚で覆われている。つまり自分の手と意志で造りかえることができるからです。

このことに気づき、ボディのマッサージを開発することに着手しました。顔のマッサージだけしていても見た目年齢は若くならない。顔も体も一枚の皮で覆われているのだから、顔のマッサージで余分な脂肪を散らし、老廃物をリンパに流すことで顔が締まって小顔になる。新陳代謝を活発にすることで肌にハリが復活する、あの理論を、体にも応用できないか……。もう一度、人体の仕組みを勉強し直し、鍼や整体の先生に取材を重ね、いかに〝簡単に効果を早く〟得られるか、と自分の体を実験材料に研究を重ねてきました。それが今回ご紹介する「体整形マッサージ」なのです。

無理なダイエットは続かない。すぐにリバウンドする。ジムに通う時間もない。さらに、美容のためだけに生きているわけではないので、時間がかかる面倒なマッサージなどしたくはない。髪を切りたいと思い立ったら、今すぐ切りたい衝動にかられるのと同じように、体型もすぐに結果を得たい……。そんな女性のための「体整形マッサージ」です。

単に体重を落とすことを目的にしていません。年齢とともに、ついてほしくない部分についた贅肉だけを、いかに効率よく落としていくか。自分の体を自分の手で、理想のプロポーションに近づけるために、整形するように造り上げていく。強じんな体を作るのではなく、あくまでもしなやかな体を造る。だから痩身ではなく「体整形」なのです。

毎日たった5分マッサージするだけでボディラインが美しくなる。体脂肪がおもしろいように変化していく。体が軽くなる。動きがしなやかになる。これを実感できるから、続けられる。私自身も決して大げさではなく、ボディラインが変わりました。そして、この効果以上に得られたのは、心が元気になり、人生に立ち向かう勇気を授かったことです。

世にいう贅沢とは別に、自らを造りかえる自信が心の贅沢と、自由に楽しく生きていくゆとりの基本となることを、女性の生きる選択として提案します。

Beauty Artisan
Yukuko Tanaka
Method for Body

CONTENT

第1章

人間の体は一枚皮

第2章

実践「体整形マッサージ」のすべて

CONTENTS

第3章

日々のメンテナンスで若さを保つ

CONTENTS

構成	幾能杏子
取材	ふじかわかえで
表紙撮影	たかはしじゅんいち
イラスト	高橋善則

第1章

人間の体は一枚皮

Beauty Artisan
Yukuko Tanaka
Method for Body

3キロなんて、ひと晩でやせられる!?

私たちの体というのは、想像以上にむくんでいます。

「自分は太っている」と思い込んでいる人も、そのほとんどが水太り。つまり、体の中の循環がうまく行われていないために、余分な水分や老廃物が体内に滞っているのです。

体の中から余分な水分や老廃物を出せば、ひと晩で3キロやせるなんて、夢じゃない。3キロは「むくみ」の体重なのです。

ボクサーや競馬のジョッキーが、試合やレース前に減量に成功している。体の大半が水分で成り立っていることを考えれば、十分に可能なこと。スポーツ選手でなくても、人間誰もが、そうとうな水分を体の中に溜め込んでいるのです。

体全体の循環をよくし、代謝を高め、必要のない水分や老廃物は、毎日すみやかに排出させる。そうすれば、むくみが重なって体重が増えたり、足が太くなったりすることもなく、バランスのよい体をいつまでも保つことが出来る。

むくみの重大さを知ろう。

冷え性はつまらない

女性の80％は冷え性だといわれています。

冷え性を実感されている方の特徴として、顔色が悪い、体のバランスが悪い、肌が乾燥している、手足が冷たい、といった症状が挙げられます。そんな方たちは、往々にして内臓も弱い。それは、体の中の流れという流れの、すべてが悪循環に陥っているからなのです。

なぜ、悪循環に陥ってしまうのか？

体の中を循環しているのは、血液やリンパ液。「血液サラサラ」などという言葉が一時、流行語のようにいわれましたが、血液が体中をうまく駆け巡ることには、大きな意味があるのです。

血液は、体中の細胞に酸素や栄養を運び、さらに細胞で栄養が「燃焼」してできた老廃物を回収しています。その血液の流れが悪くなると、酸素や栄養が十分に運ばれないうえに、細胞内でエネルギーを作るための「燃焼」も十分に行われず、体が冷えてしまう。

つまり、体を冷やすことで血液の流れは悪くなり、循環が悪いと、特に下肢がむくむ、冷える……。

そういう方のほとんどは、よく話を聞いてみると、バスタイムに浴槽にあまり浸かってらっしゃらない。シャワーで済ませていらっしゃるようです。

「ちゃんと、浴槽に浸かりましょう！」

汗をかいて老廃物を出すとか、リラックス効果があるとか、新陳代謝を高めるとか、お湯に浸かることによる効用はいろいろと謳われていますが、何よりも「体の循環をよくする」ということが肝心なのです。

「冷え性は、万病のもと」といいます。痩身という観点からみても、体を冷やすことは絶対によくないこと。

なぜならば、脂肪というのは、冷えたところにつくからです。

人間の脳というのは、「冷えた部分に脂肪を」と指令を出す。そういうふうに私たちの体はできているのです。だから、「私、冷え性だから」なんていうのは、自慢でも何でもなくて、とても「つまらない」こと、そして「大変」なことなのです。

この「悪のスパイラル」は今すぐに断ち切る必要があります。そのてっとり早い方法が、「体を温める」ということ。そして、「体のマッサージ」は、血液やリンパの循環が最良のとき、つまり入浴後に行うのが、もっとも効果的なのです。

特に日本人の女性は、下肢が太くなる。他は変わっていないのに、最近足首が太くなってきたという方、「冷え」の心あたりはありませんか?

この重大さを、理解していただきたい。

骨格のゆがみは体の「事件」

ここ数年、街を歩いていて、感じていたこと。

それは、スタイルがいいのに、足首が太い女性。やせているのに、下半身の肉づきのほうが目立つ女性。そんな方が多すぎる。

「このバランスの悪さはなに？」

体は細いのに、妙なところに脂肪がついている！

これはもう、私たちの体に「事件」が起きているとしか思えません。

人の後ろ姿を見て、歩き方がおかしい。骨格がずれていることに気がついて、それはゆがみからきているとわかる。そう、骨格のゆがみは、すべてを狂わせてしまうのです。

そして、人間動いているかぎり、骨格はゆがむ。まずは、そこを正してあげなければ、解決しません。

そのことに気づいてから、実際に私も3ヵ月に一度は整体の先生のところに行き、骨格を整えてもらっています。そうして、骨格を正常に戻すことで、筋肉がしなやかになり、血液やリンパの流れもスムーズになる。結果、むくみがとれて体が締まると同時に、ホルモンのバランスがよくなり、ひいては肌もきれいになることを、実感します。

スリムなボディは骨格から

意外に思うでしょう。

この理論はとても簡単。ゆがみもむくみも、肌のくすみもない理想的な体に、私たち人間が持っている本来の体に戻してあげればいいのです。ただ、それだけのことなのです。

私は20代のころ、体重が42キロしかありませんでした。身長は165センチ。しかも足首が弱くて、体のバランスが悪いものだから、しょっちゅう転んでいました。強風注意報が出た日には、外を歩いていても、まっすぐに歩けないほど。

でも今は、ヒールを履いて、平気で走っています。子供を産んでから剣道をはじめたことや、整体に通うようになったことで、骨格のバランスがよくなり、背筋《はいきん》に力が入るようになりました。

立つときも、座るときも、常に姿勢をよくするように心がけています。そうすると、背筋が強くなり、お腹が出てこない。正しい姿勢というのは、ある種の腹筋運動です。

ただし、動いているかぎり人間の骨格はゆがむもの。四足歩行の動物は、4つの足で重力の負荷を分散しているけれど、人間は直立二足歩行。たった2本の足で、重力に立ち向かう必要があるのです。これが背骨や腰に大きな負担をかけているのです。

でも、そのゆがみを最小限に抑えることは、できるのです。

リラックスしている時ほど要注意

足を組む、横ずわりをする、頬杖をつく、手枕をする、片側だけにひじをつく……。こういった「無意識でついついやってしまっているポーズ」「リラックスをしているときの姿勢」こそが、左右そして上下の体のバランスを崩し、ひいては骨格をゆがませます。

また、歩き方や鞄の持ち方など、日常のちょっとしたことで骨格は変わってくるのです。無理して合わない靴を履いて、前のめりになって歩いていたり、いつも同じ側の肩に重いバッグをかけていたり。

そして、骨格がゆがむことで筋肉がアンバランスに緊張し、血液やリンパの流れが悪くなる。それらがすべて、むくみや冷え、体重増加にもつながる。すべては自分自身が招いたことなのです。少し意識を変えれば改善できるということです。

「マチ」を制する

鏡の前で洋服のチェックをするときや、ふとショーウィンドウに映った自分を見たとき、体の前と後ろの面ばかりを気にしていませんか？

ここで忘れてはならないのは、体の「マチ」。マチとは、体の側面のことです。上半身だったら、腕のつけ根から脇、脇腹まで。下半身は、ヒップサイドから脚の側面、脚の内側のところをいいます。その部分を、きちんと直視していますか？

マチに脂肪がついている。たるんでいる。それがどういう状態なのかを、よく考えてみてください。

ブラジャーからサイドにぽっこり出たお肉、歩いているときの、お尻の横からの肉のはみ出し……。とても醜いものです。

手入れ不足により、脂肪がつきやすい「マチ」が崩れることで、あなたが思っているよりも、ボディラインが崩れていることに気がついてほしい。

そして、あなた以外の人が、もっとも目についてしまうところでもあるのです。

人はそんなところを見て、あなたの印象を決めるのです。

美しき「一枚皮」

骨格が整い、そこにしなやかな筋肉がつき、血液やリンパの流れが正常になれば、体は自然に引き締まってくるし、肌の状態もよくなっていく。そして、いちばん外側にある皮膚というのは、いってみれば「体の膜」。それも、一枚でつながっている。

その皮膚について、以前髪の毛のブラッシングをしている最中に、あることを思ったのです。

「近ごろの若い女性は、あまりブラッシングをしていないな」と。

トイレで鏡に向かう女性たちを見ていると、圧倒的に「手ぐし」派が多い。私が若いころは、毎日ブラッシングをするのは当たり前。そうやって頭皮を強化しなければ、顔はしだいに〝だれて〟いくのに。顔も頭皮も一枚皮でできているのに……。

そんなことをつらつらと考えているうちに、「人間は〝一枚皮〟だ！」ということに気がつきました。

頭皮を強化すれば顔は上がる。逆にいくら顔がきれいでも、首も連鎖的に皮膚はゆるんでくる。つまり、美はトータルで追求していくのが自然だと思います。現に私は、「体整形マッサージ」をしているうちに、肌のキメがどんどん整っていくのを実感します。

このマッサージは、体の筋肉の凝りをしなやかにすると同時に、血液やリンパの循環を促します。それは筋肉のリフトアップにもつながるのです。全身を通してマッサージをするからこそ、体内の循環がスムーズになるのと同様に、皮膚も全身を通して手入れをすることで、肌の色ムラ、たるみ、弾力、小ジワを改善し、生き生きと輝きはじめる。顔だけ切り取ってケアをしても、効果が少ないということです。

結果がすぐ出ないと、女は動かない

女性というのは、すぐに結果をほしがります。そうじゃないと、おもしろくない。それは、顔も体も同じこと。

「とにかく1ヵ月間、やり続けてみてください。結果が出ますから」といわれて頑張って続けて、結果が1ミリだったら誰もやらない。雑誌の対談でご一緒させていただいた、某女流作家も、こうおっしゃっていました。

「顔筋マッサージが1時間かかるならとっくにリタイアしていたかも……」

そう考えると、体整形マッサージは、顔筋マッサージと同じコンセプトで生まれたもの。当然、効果があるわけです。マッサージを続けると、「むくみがとれた」「足がつるのが治った」「冷え性が改善されている」「体脂肪が落ちた」という結果が出てきています。私自身も、これをはじめてから、どんどんお尻が小さくなってきた。顔のつやが違ってきた。目に見えて効果がわかるから、楽しくマッサージが続く。

効果が出ない努力は、続かないのです。楽しさ、結果が出ないと。

「美しくなる」「理想の体型を手に入れる」それは、エステに通ったり、スポーツジムに行かなければいけない、ということでは決してないのです。

ものごとを大げさに考えていくと、大したことではなかったことが、大変なことになってしまう。もっと肩の力を抜いていいのです。毎日、顔を洗うように、「日常」の中に組み込んでみましょう。

このマッサージは、やせることが目的のダイエットとは根本的に発想が違います。体の中の循環をよくすることで、〝結果的に〟やせるということ。あくまでも、楽しみながら結果を出す。それが継続するコツです。

第2章

実践「体整形マッサージ」のすべて

Beauty Artisan
Yukuko Tanaka
Method for Body

体整形マッサージの心得

では、さっそく「体整形マッサージ」を実践してみましょう。

このマッサージをする際のベストタイミングは、入浴後。それもバスタブに浸かったあとの、血液やリンパの流れがよくなっているときです。

お風呂から上がって体を拭いたら、鏡の前に立ち、全身を見ながら行うのが理想的。マッサージをする部分には、その都度ボディクリームまたはボディオイルを塗ってください。

肌が乾燥した状態でマッサージをすると、皮膚を無理に引っぱることになり、変なシワをつくることに。クリームやオイルを塗ることで、手のすべりがよくなり、同時にスキンケアもできます。

さて、体整形マッサージをするうえでの最大の目的は、全身のリンパの流れをよくして余分な水分や老廃物を体外に排出するということ。

簡単にリンパの原理を説明すると、「リンパ」とは、全身に網の目のように張り巡らされている「リンパ管」、管の中を流れる「リンパ液」、そしてリンパ液の流れの中継地点である「リンパ節」を総称したもの。リンパ液は、体内の老廃物などを拾って各リンパ節でろ過し、静脈に合流。老廃物などは心臓から腎臓へと運ばれ、最終的には尿となって体外に排出されます。

ただし、運動不足やストレスなどで老廃物が過剰に溜まるとリンパの流れが滞ってしまう。それをサポートするのが、このマッサージなのです。つまり、ベースとなっているのはリンパマッサージ。そこに脂肪を移動させる動きや指圧、圧力などを織り込むことで、体液の循環はもちろんのこと、筋肉から脂肪、皮膚までをトータルでケアしていきます。

そして意識をしていただきたいのは、リンパ節。

鎖骨、脇の下、脚のつけ根、ひじの裏、ひざの裏などに存在するリンパ節は、リンパの流れを司る大切な場所。そこをよくほぐしてあげることが肝心です。ただし、体整形マッサージにおいて、強い力は不要。目的はリンパの流れをサポートすることですから、指を閉じて手のひらで「なでる」という動作がメインに。指を使う際にも、原則として〝手のひら〟の部分を活用します。

最後に、「ウエストを細くしたい」「ヒップを上げたい」「脚のむくみをどうにかしたい」などという方。気になる部分だけを、集中的にマッサージしてもかまいませんが、基本は全身をトータルで行うということ。そのうえで、部分マッサージを行うのがもっとも効果的な方法です。骨や関節などにトラブルを抱えていたり、体調がすぐれないという方は、体調を整えてからはじめてください。

くれぐれも無理をせずに、「気持ちがいい」と感じる強さと長さで。すべてのステップを通して行っても、かかる時間は5分ほど。歯を磨くように、生活サイクルの中に組み込むことができたら完璧です。

体整形マッサージ全工程

・鎖骨

ウォーミングアップ

・脚のつけ根

リンパ節をUの字に

・ひざ

ひざの裏側を指でもみながら、内側をなでる（左右）

・足

くるぶしの指4本分上から、くるぶしの回りを足の後ろ側から前側に～くるぶしの下のくぼみ～土踏まずの4～6ヵ所を（左右）

・お尻

ヒップライン～ヒップの中ほどのV字～サイドのヒップアップ（左右）

・ウエスト

腰の中央からそのままお腹の前へお肉を寄せる

・お腹
おへその中心を時計回りに、次に逆回りで回転

・手
指抜き〜手のひら〜手首の内側〜ひじの内側（左右）

・二の腕
外側から内側へ（左右）

・脇の下
中心のへこんでいる部分を回しなでる

・脇
脇の下からウエストへ〜肩甲骨のくぼみから胸へ、ウエストに到達するまで3〜5段階（左右）

・頭
額から頭頂部へ〜頭頂部から後頭部まで指圧〜最後に盆の窪

・首
首の後ろからリンパに沿ってみぞおちまで手全体を使って下ろす

・肩
肩の上から肩をつかむように〜胸の中心まで下ろす

・脚
整理体操〜脚の前面から足首〜内側〜後ろ側

・仕上げ
仕上げは深呼吸

How to Massage? | 鎖骨

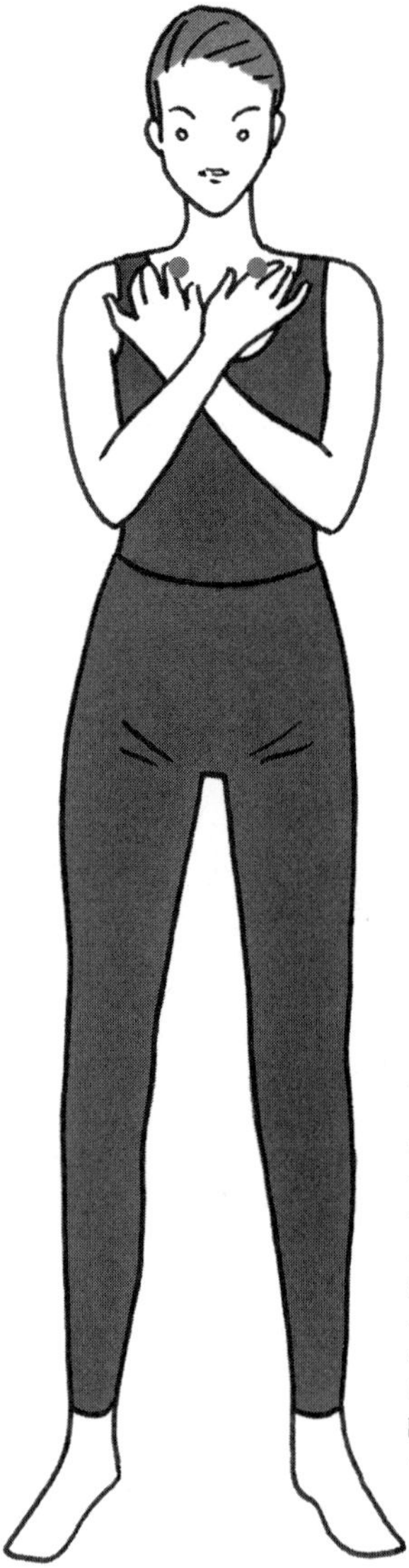

まずは鎖骨の上をプッシュ

ウォーミングアップは鎖骨のマッサージ。ここは、リンパマッサージを行ううえで、もっとも大切だといわれる場所。まずは足を肩幅に開いて立ち、体の前でクロスさせた両手の4本の指（親指以外）を使って、〝鎖骨の上〟をゆっくりと押す。3秒間押したら、指を離してまた3秒。これを3回行う。

How to Massage?

脚のつけ根

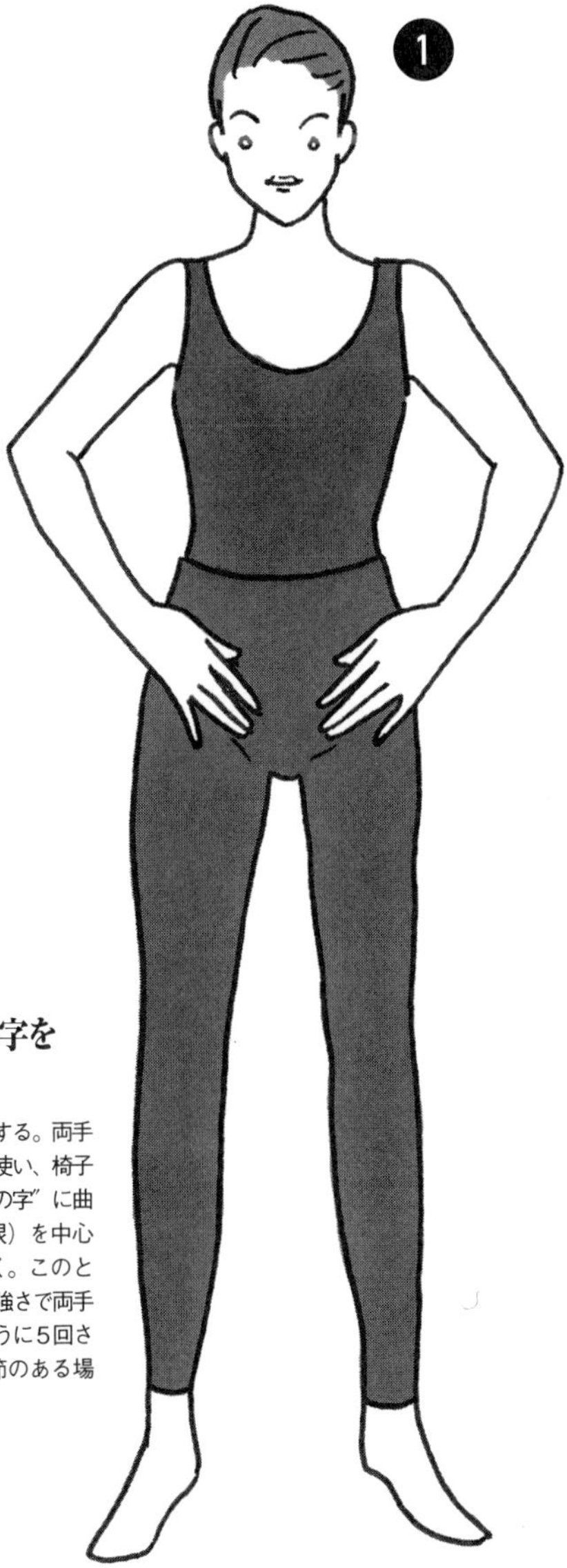

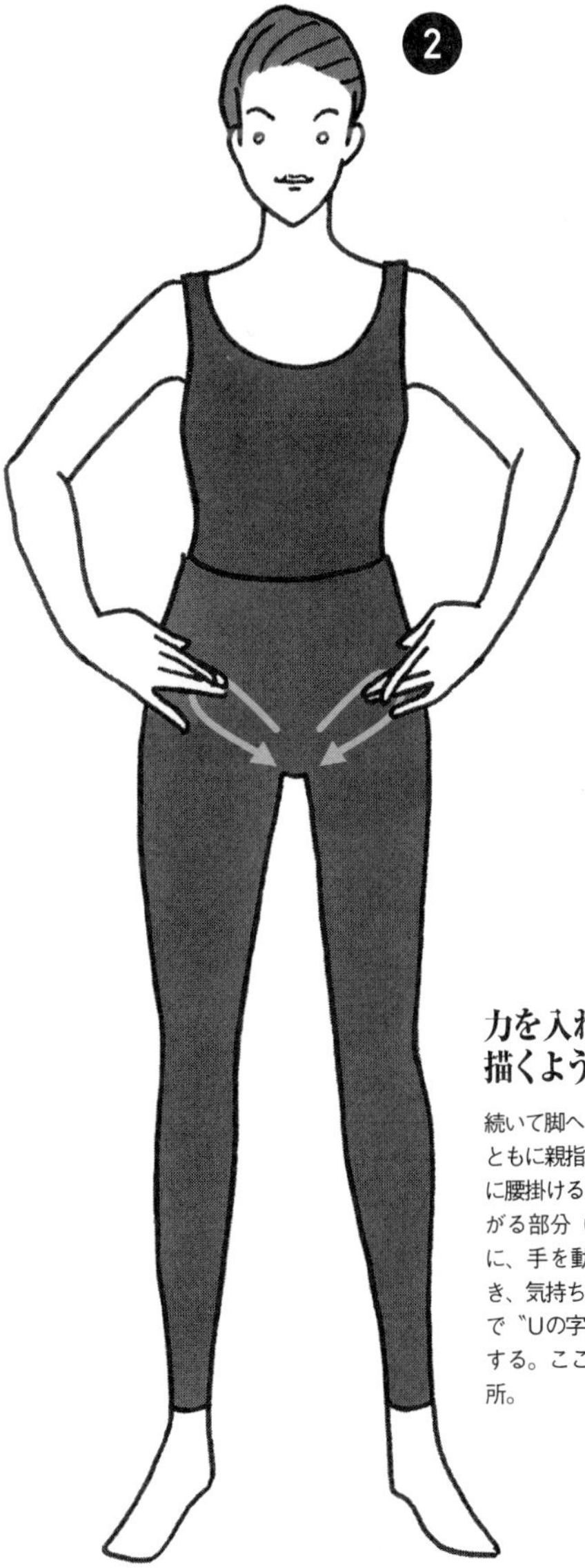

力を入れずUの字を描くように

続いて脚へと手を移動する。両手ともに親指以外の指を使い、椅子に腰掛けるときに〝くの字〟に曲がる部分（脚のつけ根）を中心に、手を動かしていく。このとき、気持ちいい程度の強さで両手で〝Uの字〟を描くように5回さする。ここもリンパ節のある場所。

How to Massage?

ひざ

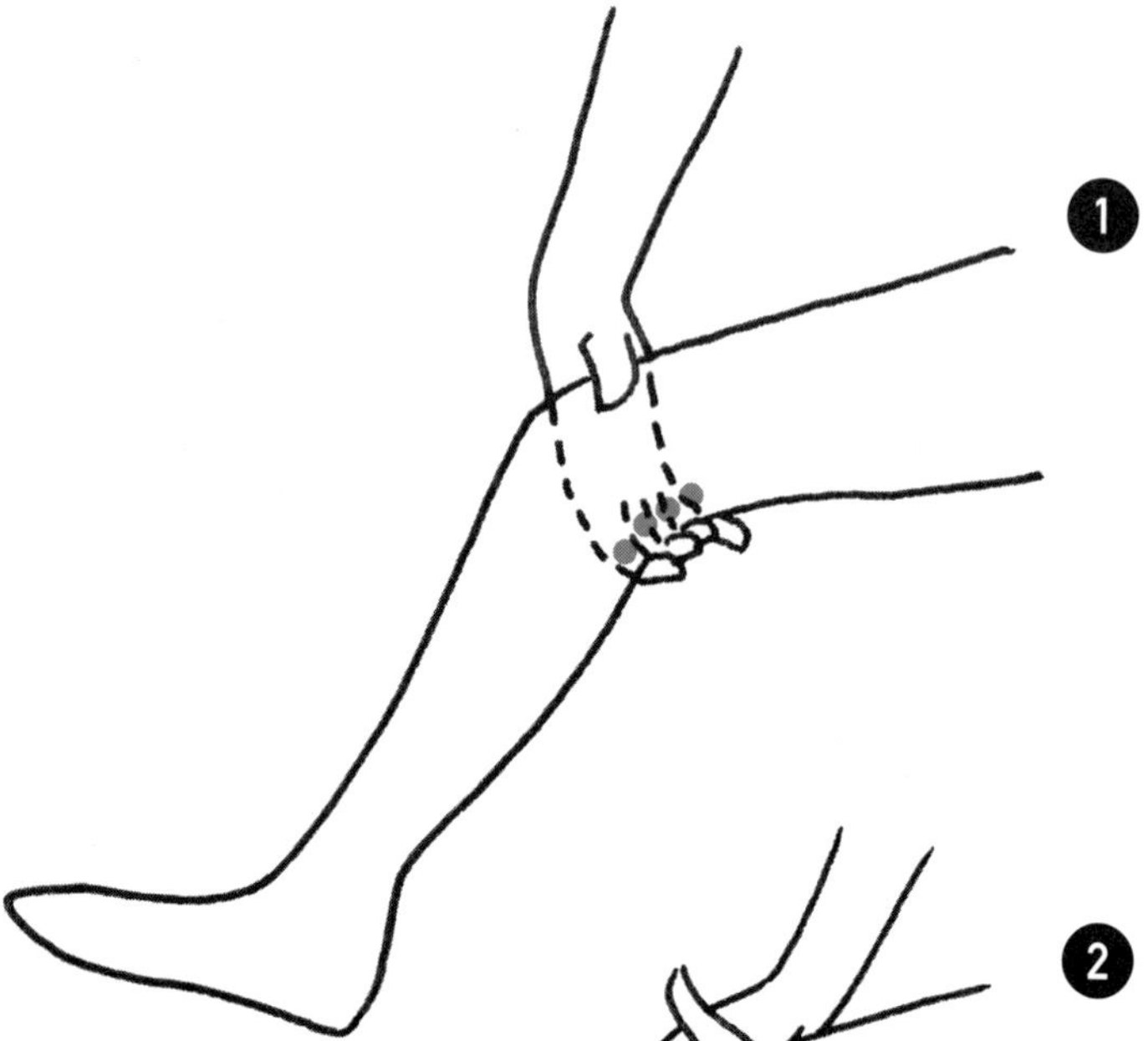

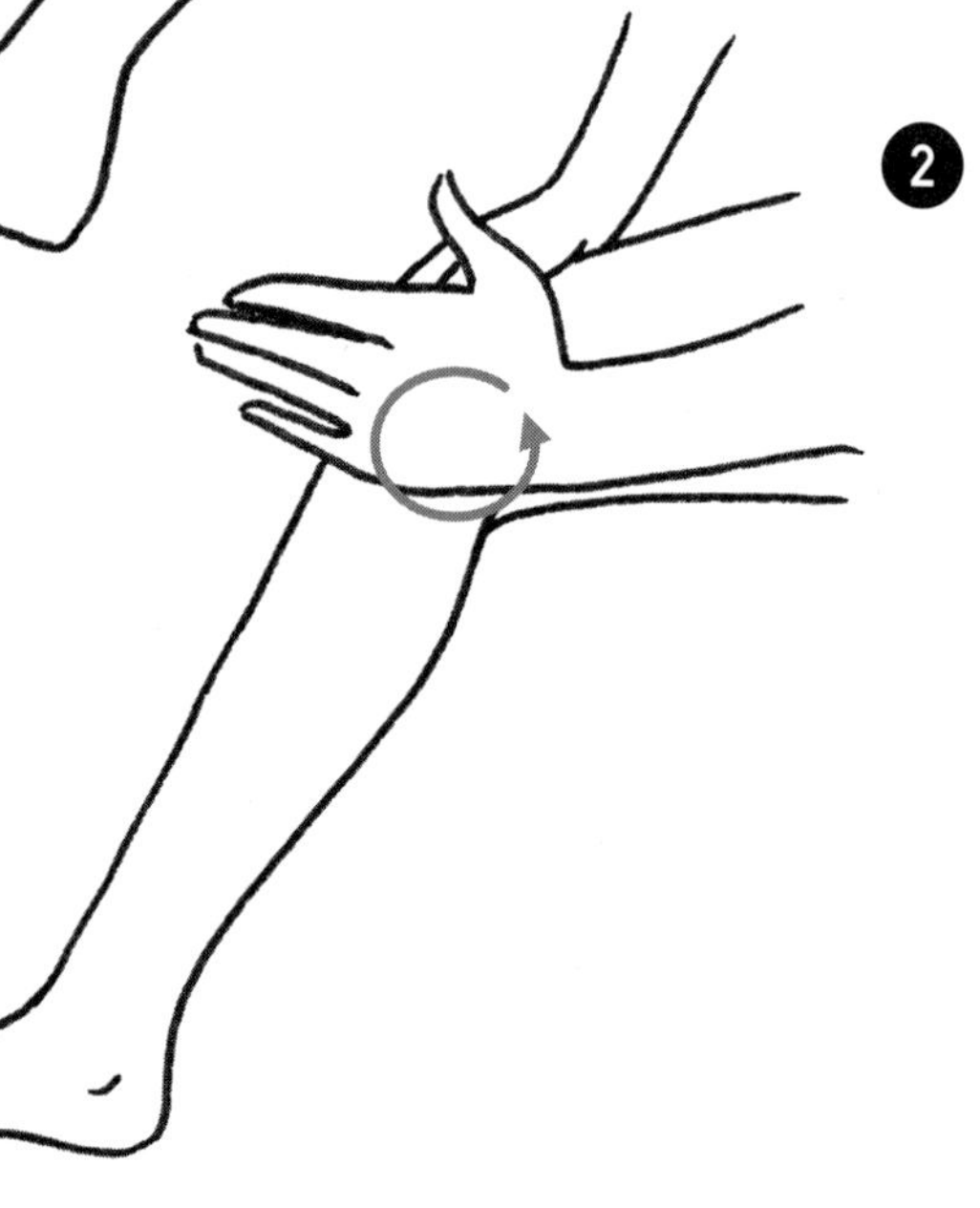

裏側をもみながら内側をなでる

❶ひざは左右の手で違うマッサージを行うので注意。まず右脚を曲げたら、右手をひざの裏側に入れ、親指以外の４本の指でもむ。もむポイントはひざの真裏よりもやや下の、指で押すとジンとくる部分。❷そのとき左手はひざの内側に置き、円を描きながらなでる。右手を動かしながら左手を５回転させたら今度は左脚を同様にマッサージ。

How to Massage?　足

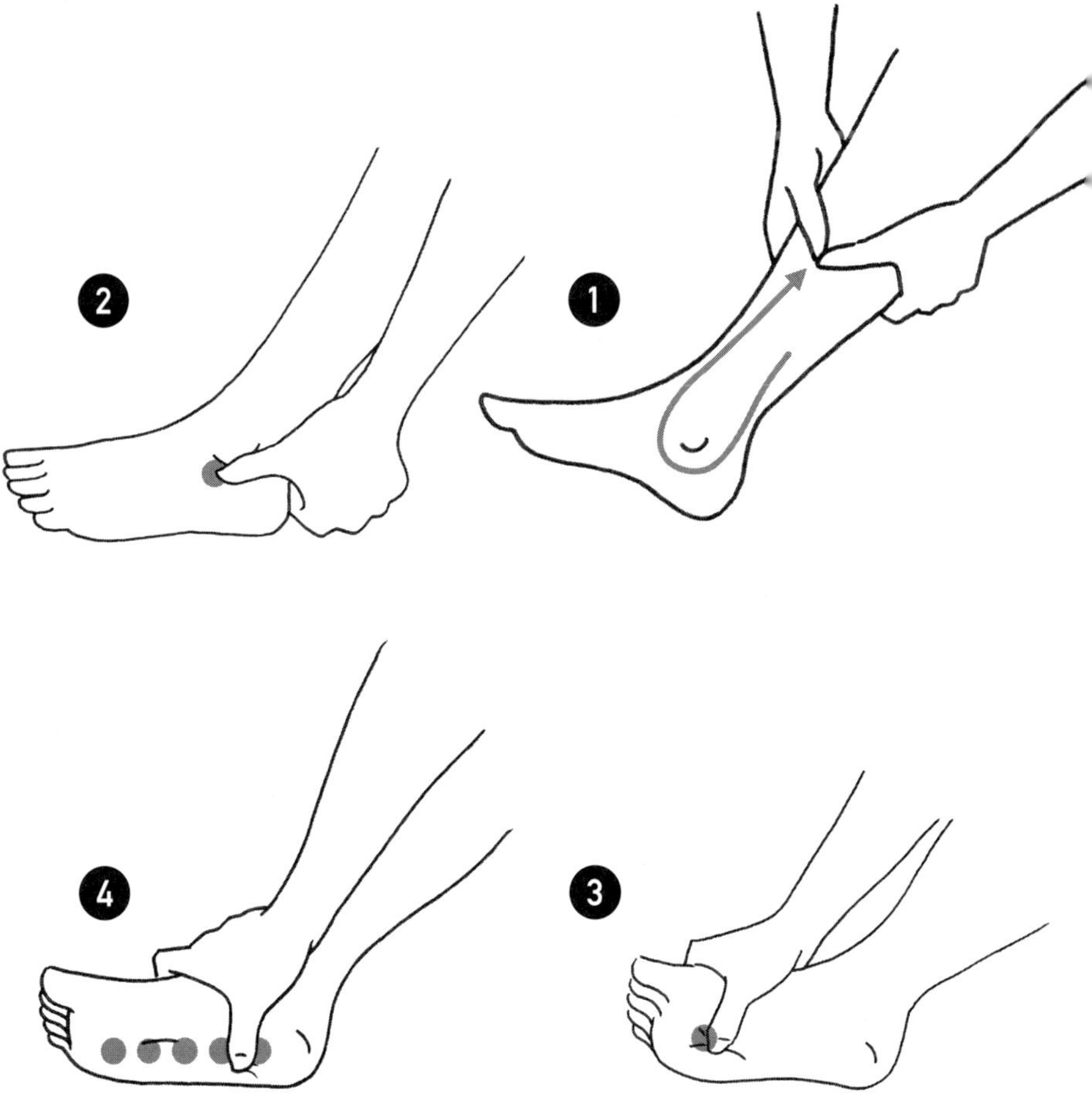

くるぶしや足裏をゆっくり指圧

❶くるぶしから指4本分上をスタート地点に、両手の親指を合わせて足をつかむようになでおろし、くるぶしの下を通って戻る。これを3回。❷次に外側のくるぶしの下のくぼんだ部分を親指でプッシュ。さらにグリグリと5回、押し回す。

❸❹最後は足の裏。ひざを外側に開き、土踏まずの前後を、つま先からかかとに向かって移動しながら、4〜6回押す。それを3回くり返す。反対の足も同様に。

How to Massage?

お尻①

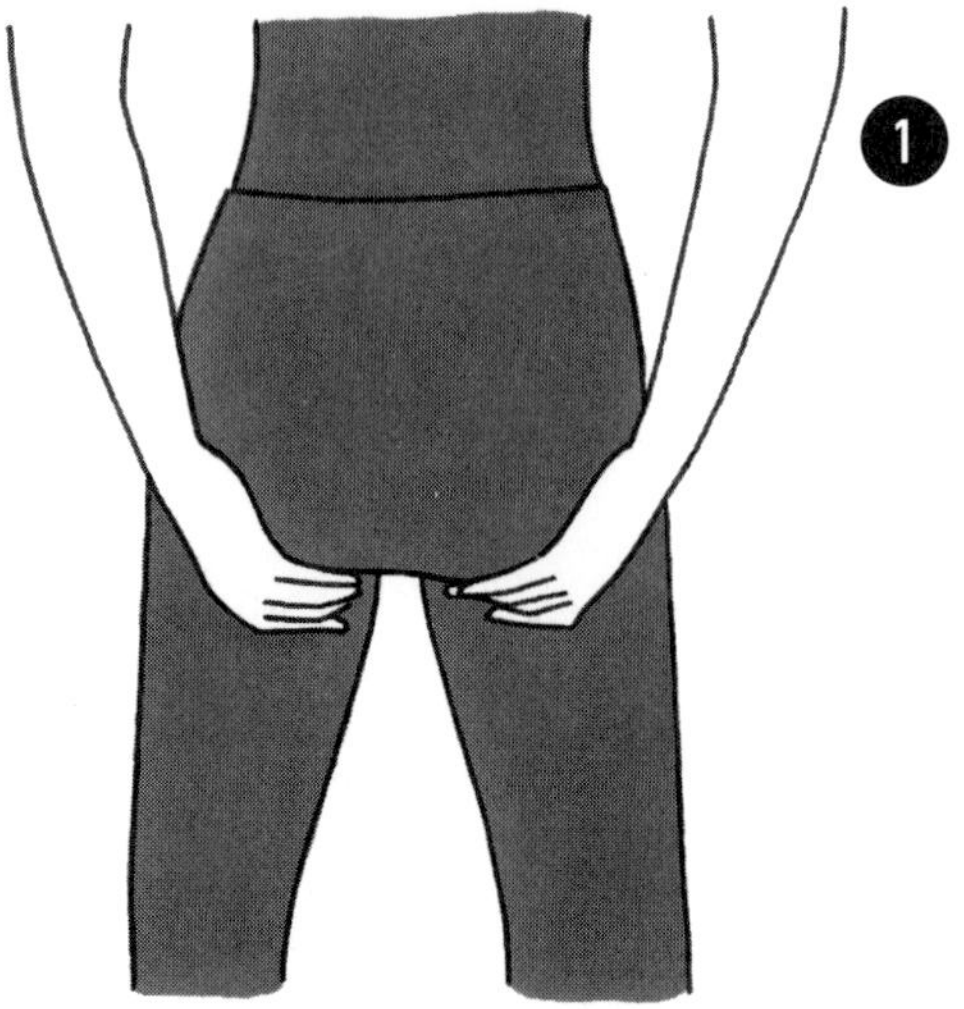

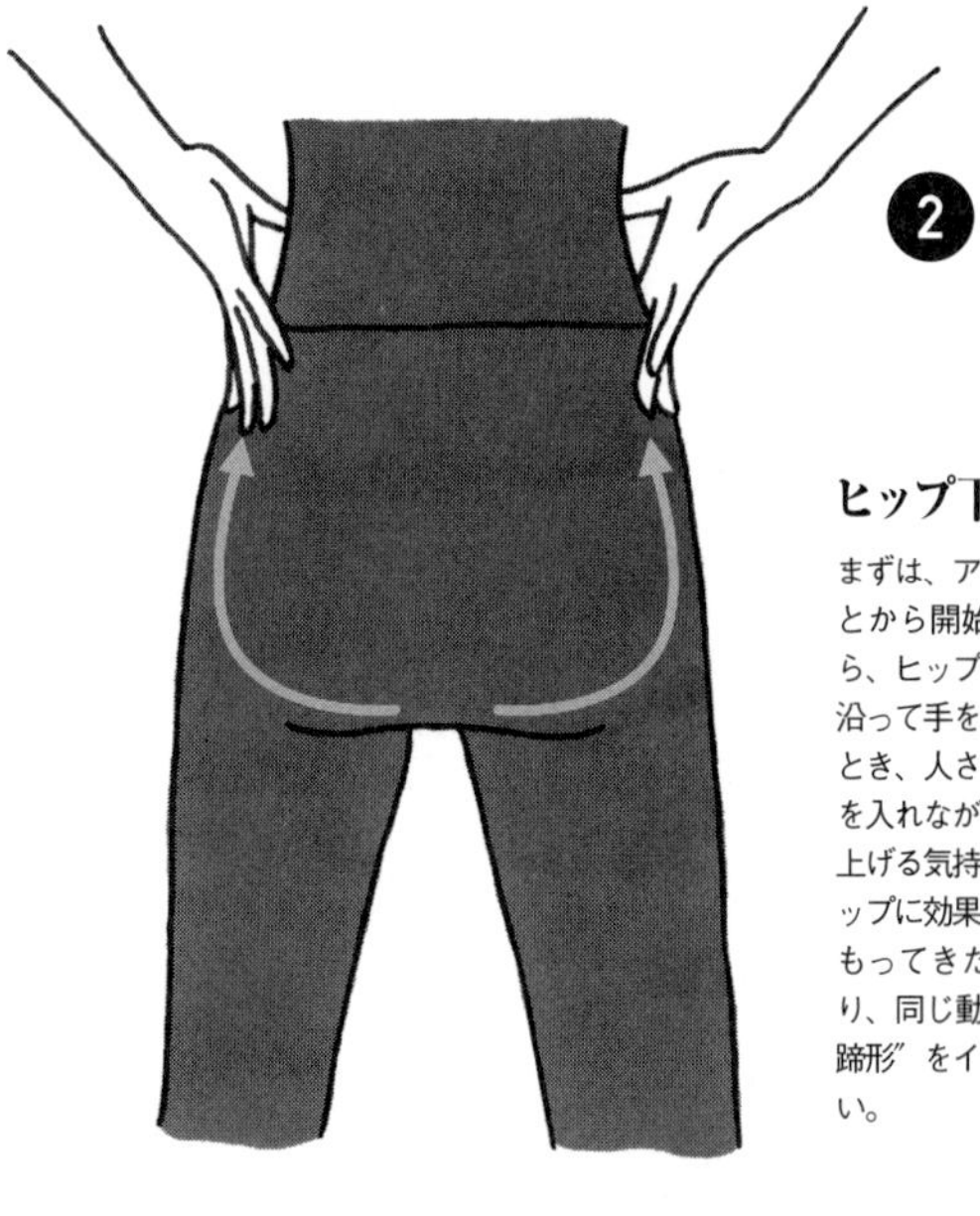

ヒップ下のラインを整える

まずは、アウトラインを整えることから開始。ヒップ下の中心から、ヒップのラインの少し外側に沿って手を引き上げていく。このとき、人さし指、中指、薬指に力を入れながら、ヒップの肉を引き上げる気持ちで行うと、ヒップアップに効果的。腰の位置まで手をもってきたらスタート地点に戻り、同じ動作を計5回行う。〝馬蹄形〟をイメージするとやりやすい。

How to Massage?
お尻②

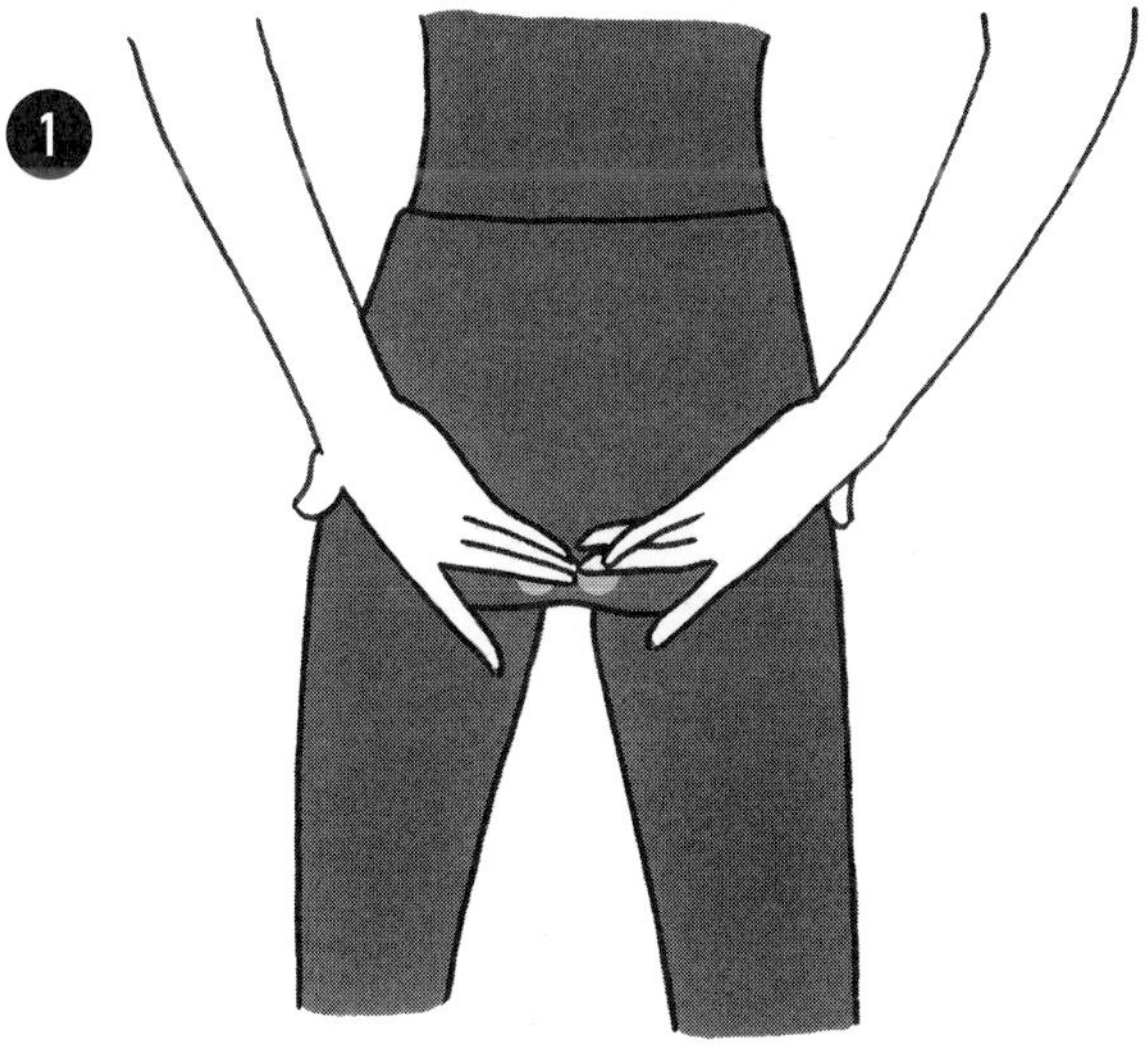

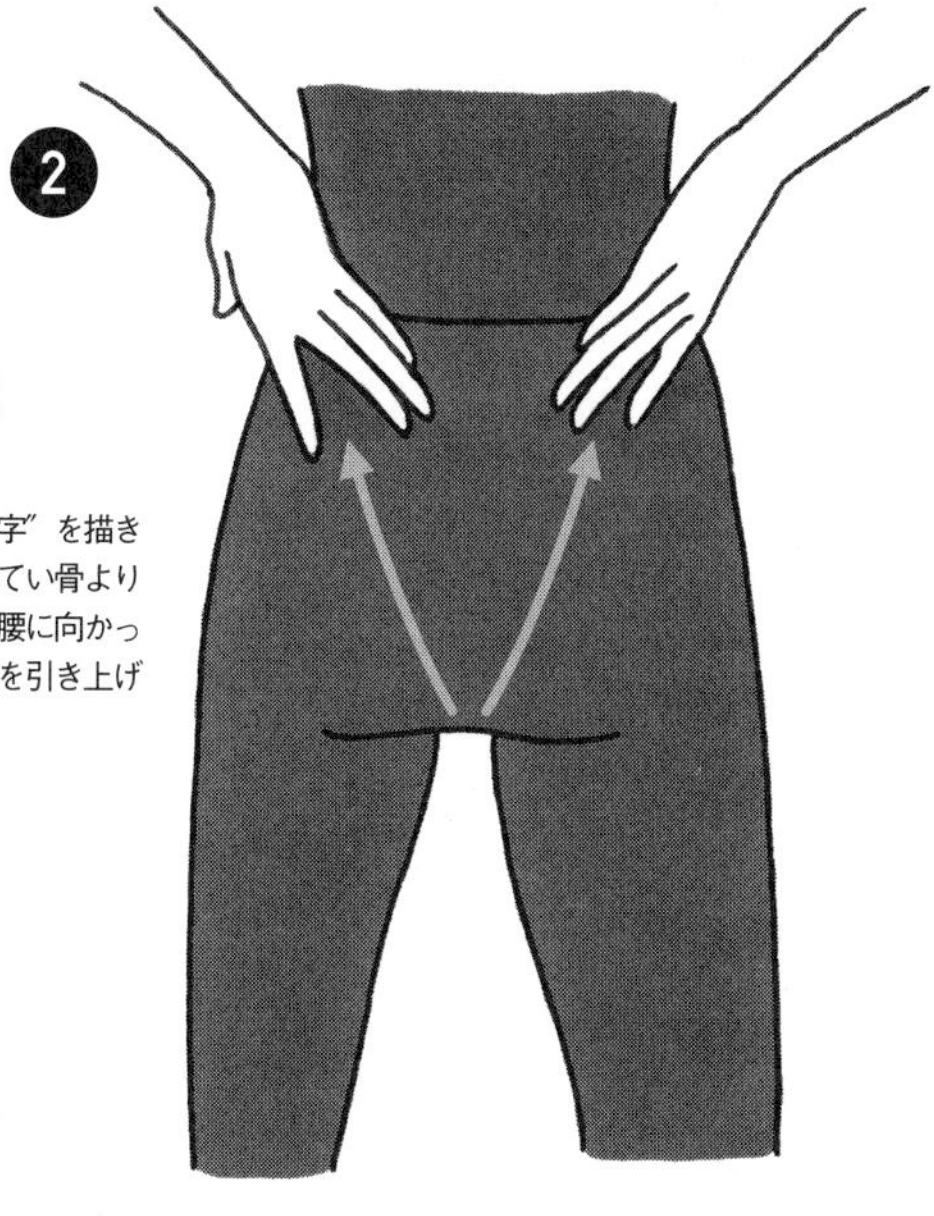

中ほどはV字に引き上げて

ヒップの中ほどは〝V字〟を描きながらマッサージ。尾てい骨よりもさらに深い位置から腰に向かって、やはりヒップの肉を引き上げる要領で5回。

How to Massage?

お尻③

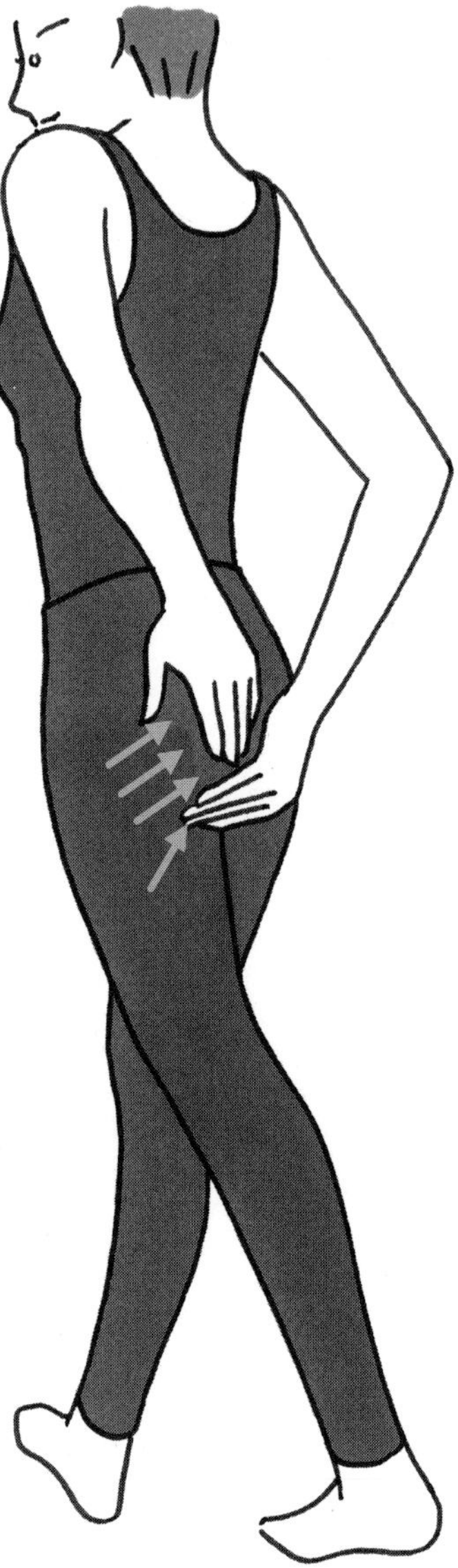

片方ずつ念入りにリフトアップ

最後は、ヒップの外側の脂肪を徹底的にリフトアップ。まず脚をクロスさせ、後ろになったほうの側のヒップを持ち上げていく。両手を交互に使って、30回さすり上げたら、脚を逆にクロスさせて、反対側のヒップも同様にマッサージ。できるだけ下のほうから引き上げること。

How to Massage?

ウエスト

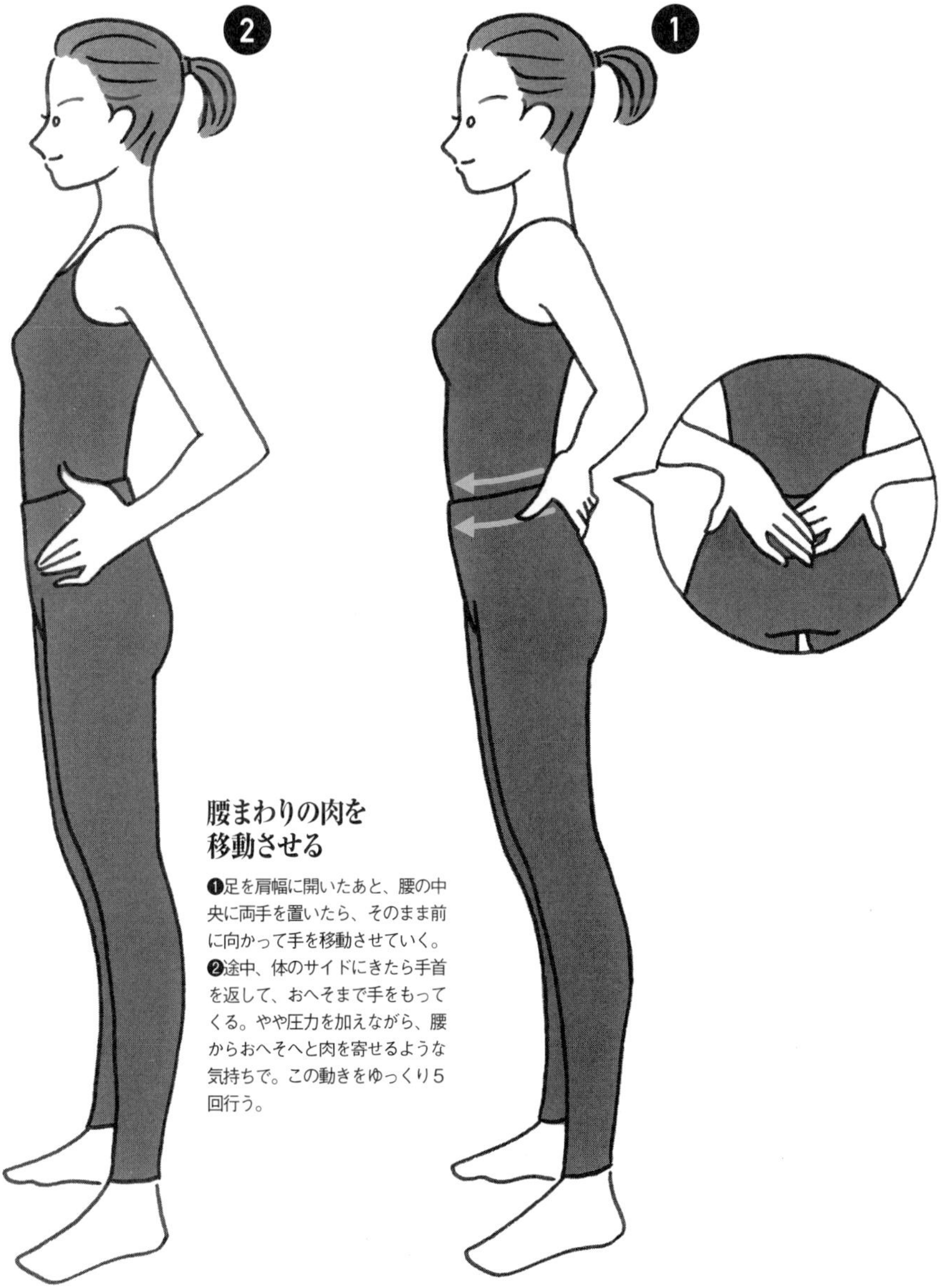

腰まわりの肉を移動させる

❶足を肩幅に開いたあと、腰の中央に両手を置いたら、そのまま前に向かって手を移動させていく。
❷途中、体のサイドにきたら手首を返して、おへそまで手をもってくる。やや圧力を加えながら、腰からおへそへと肉を寄せるような気持ちで。この動きをゆっくり5回行う。

How to Massage?

お腹

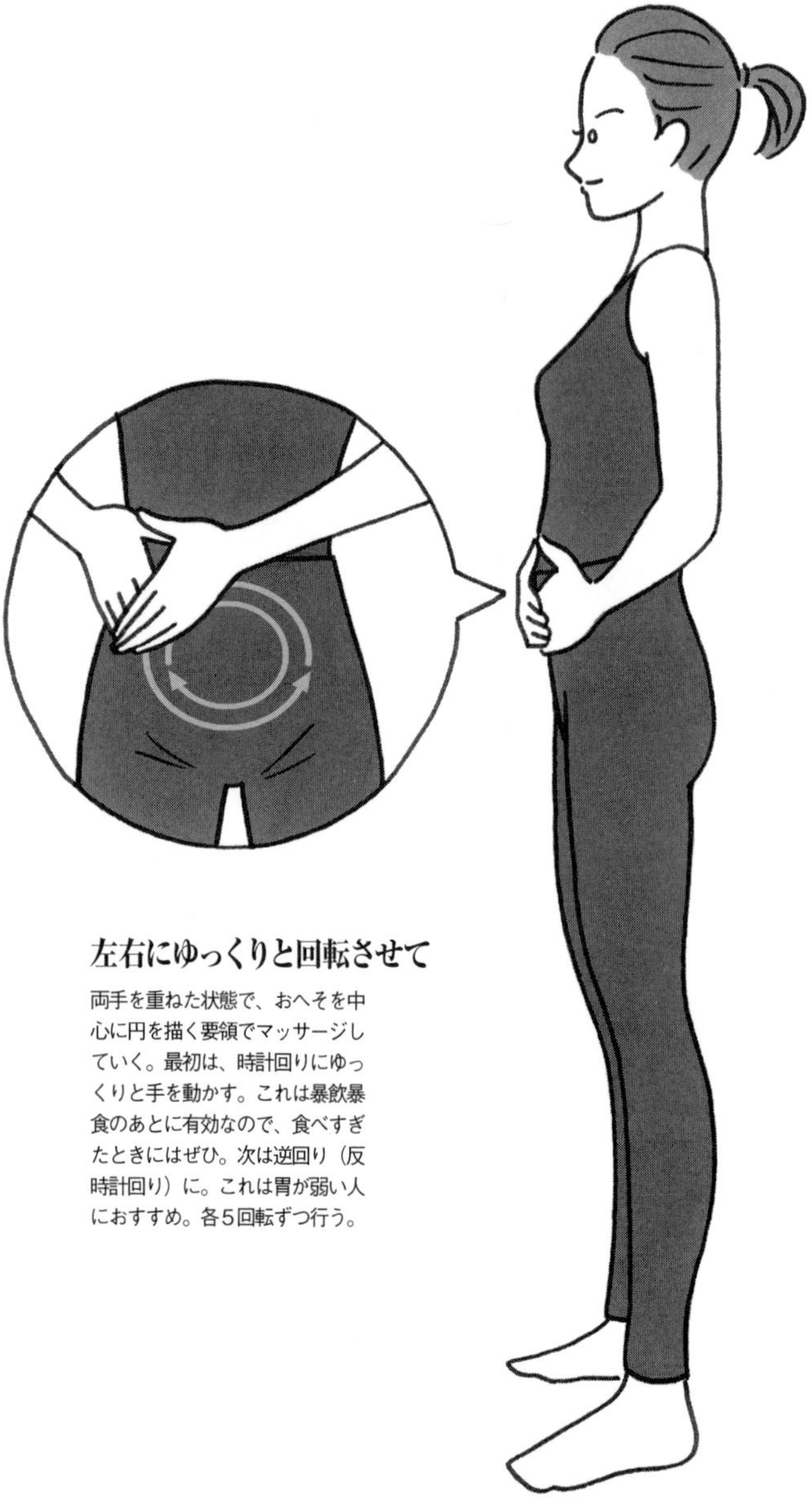

左右にゆっくりと回転させて

両手を重ねた状態で、おへそを中心に円を描く要領でマッサージしていく。最初は、時計回りにゆっくりと手を動かす。これは暴飲暴食のあとに有効なので、食べすぎたときにはぜひ。次は逆回り（反時計回り）に。これは胃が弱い人におすすめ。各5回転ずつ行う。

How to Massage?

指

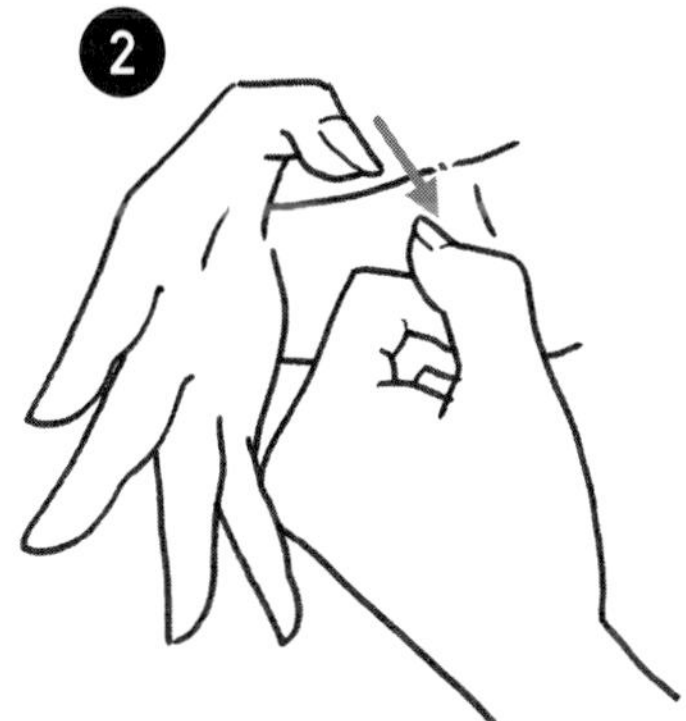

1本ずつ順に引っぱっていく

❶手の指は、親指から小指までを順に引っぱっていく。親指は軽く曲げたまま、反対の手の親指と人さし指で爪の部分を挟む。❷そのまま引っぱる。

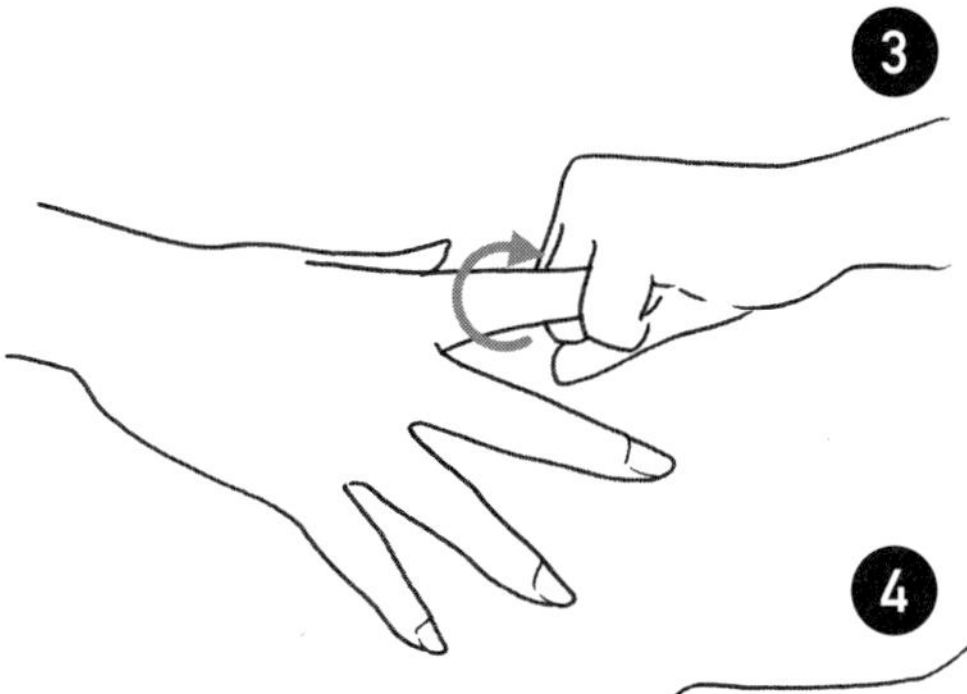

❸❹人さし指は、反対の手の薬指と小指のつけ根で爪の部分を挟んだあと、親指側に軽くひねりながら引っぱる。中指、薬指、小指も、人さし指と同様に。親指以外は、そのまま引っぱると指が外に開きやすいため、内側に軽くひねるようにする。

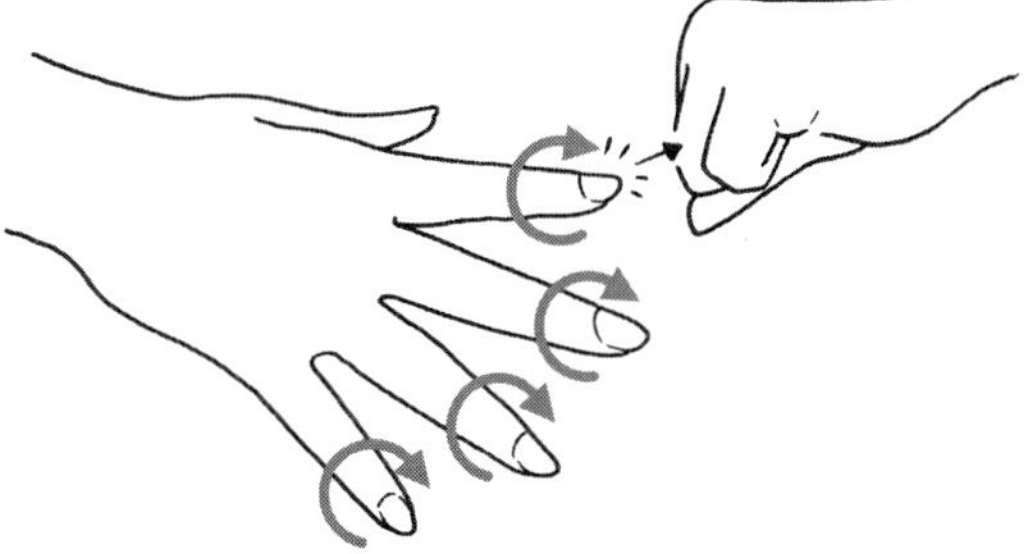

How to Massage? | # 手

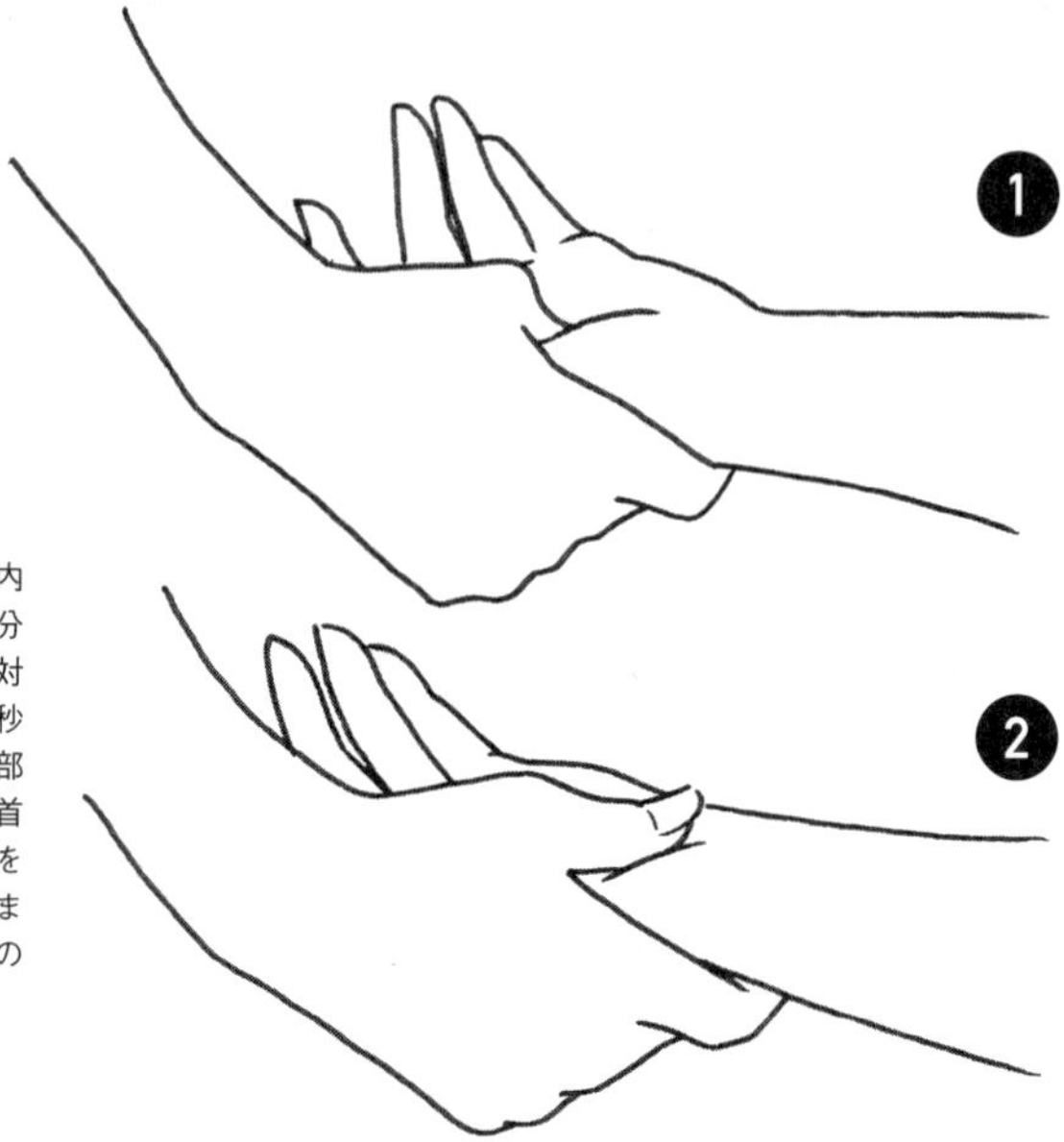

3ヵ所を順にプッシュして

❶手のひらの中央、❷手首の内側、ひじの外側のくぼんだ部分を、順にプッシュしていく。反対側の手の親指の腹を使って約3秒間、じっくりと押す。これを各部分、3回ずつ行う。❸なお、手首からひじへと移動するときは手を離さず、親指を使って、そのままひじの外側までなであげる。逆の手も同様に。

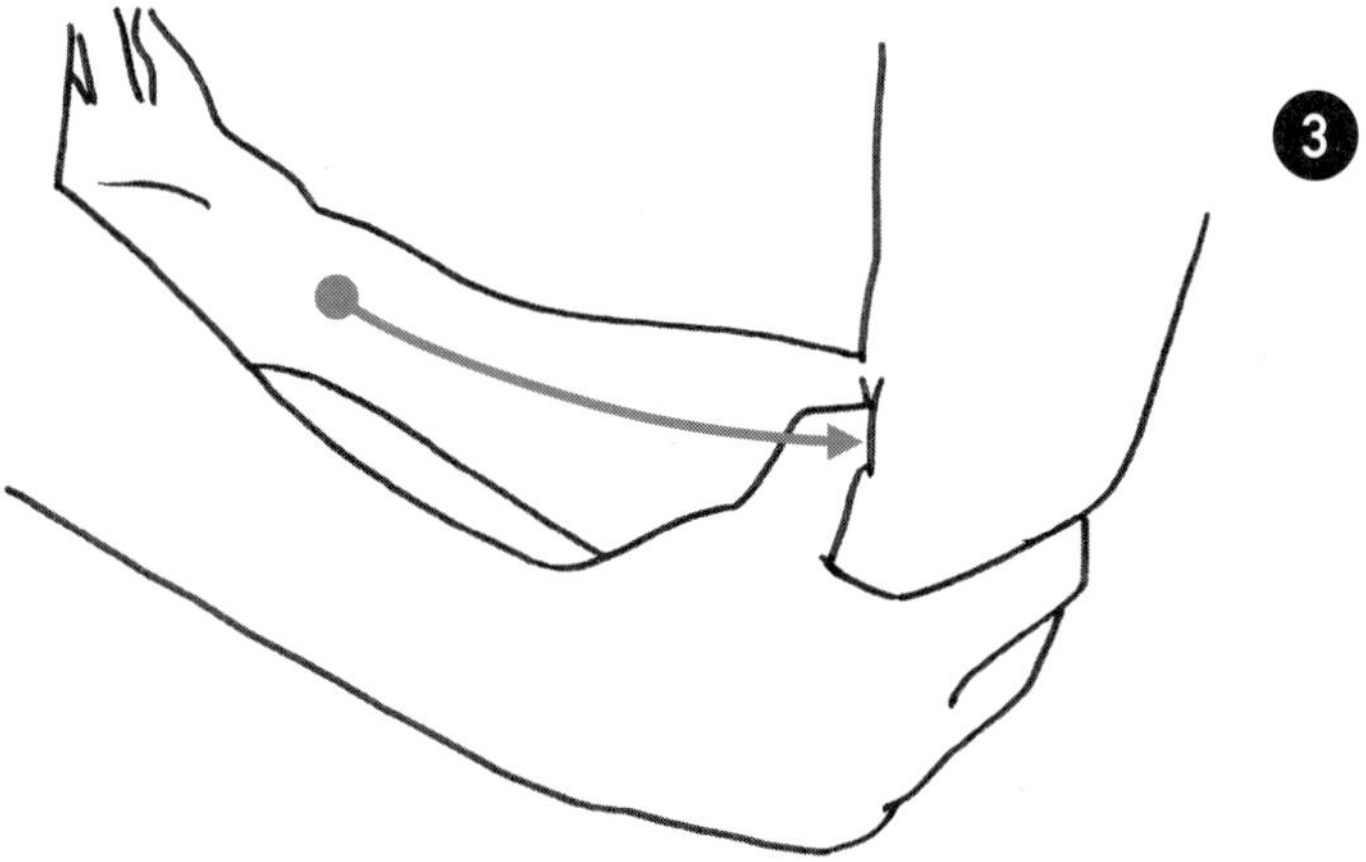

How to Massage?

腕

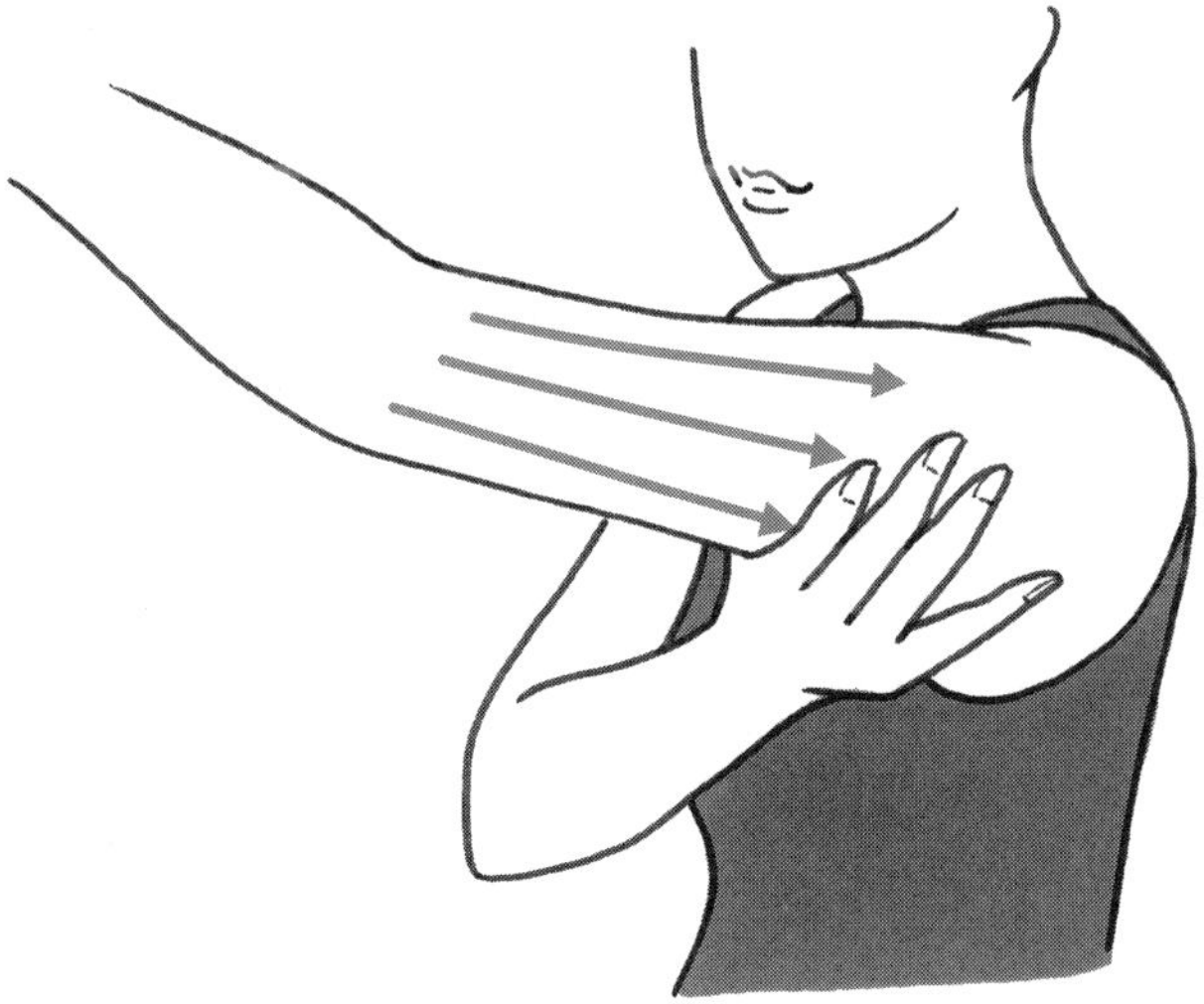

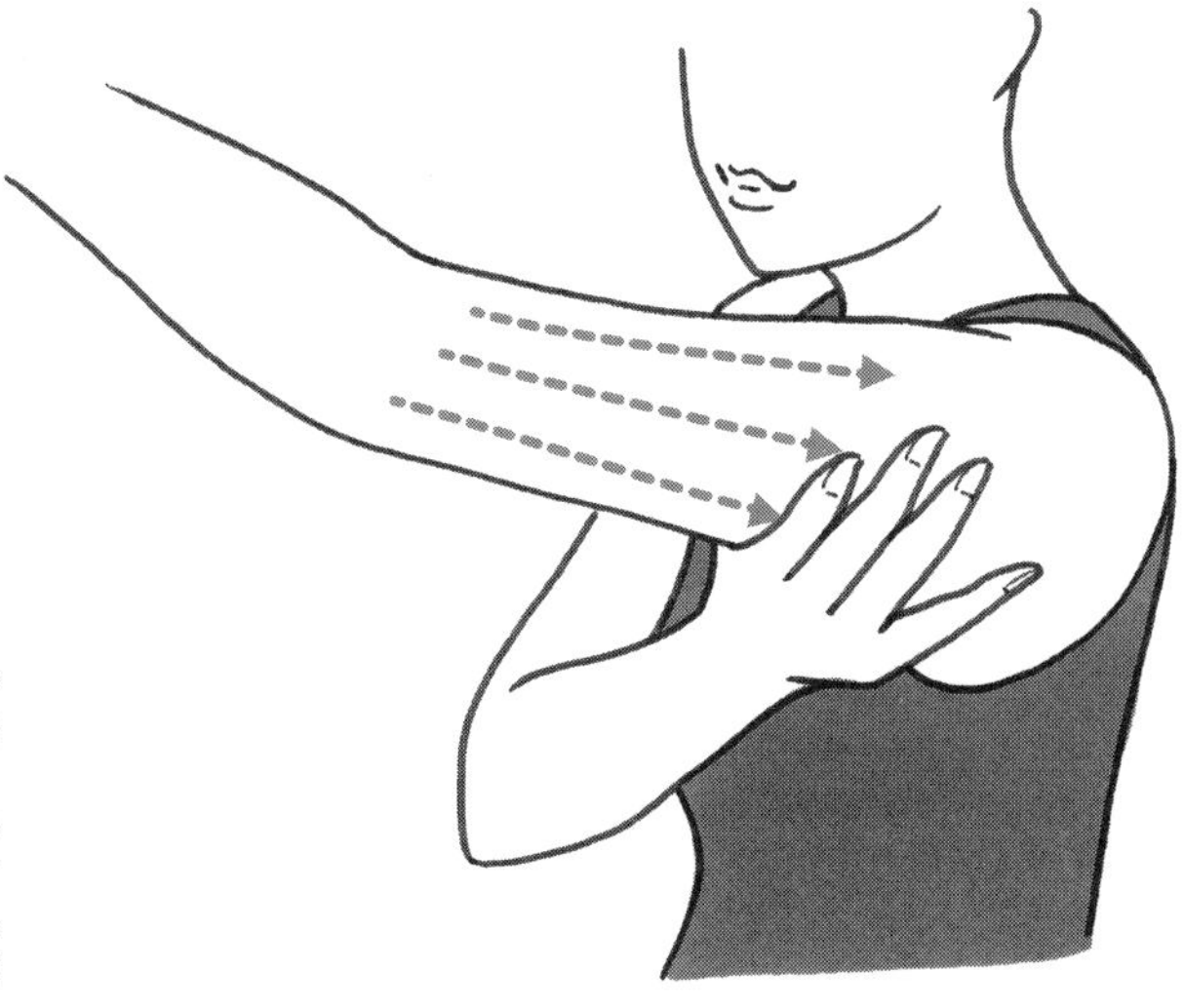

腕をさすって
老廃物を脇の下へ

片方の腕を上げて、逆の手でつかむようにしながら、ひじから肩にかけてさすっていく。腕の上側、下側、側面のすべてを5回ぐらいに分けて行うといい。意識としては、老廃物を脇の下へと流し込んでいく感じ。反対側の腕も同様に。

How to Massage?

二の腕

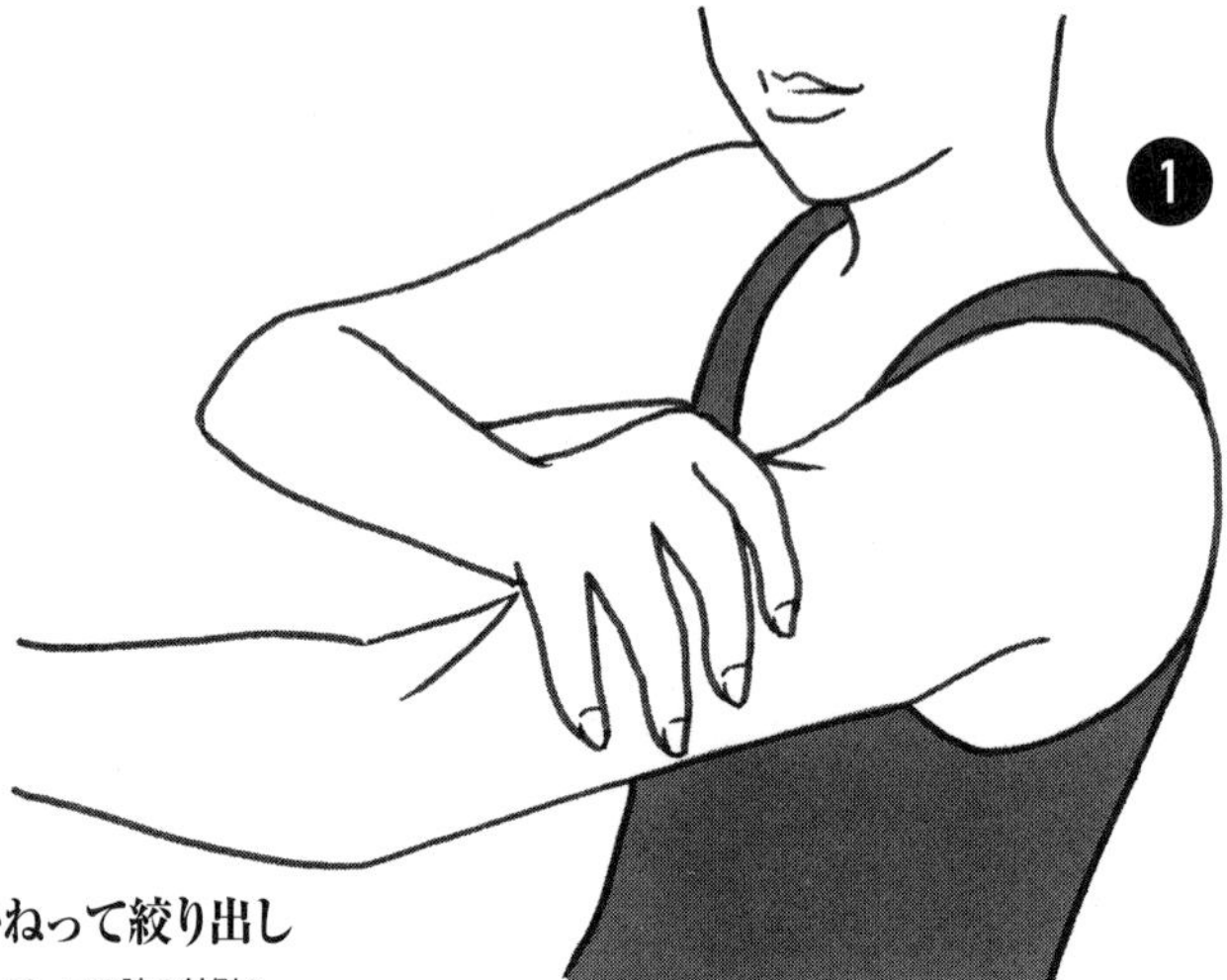

内側にひねって絞り出し

手全体を使って、二の腕の外側のタプタプとしやすい部分をつかみ、内側へとねじり回す。脂肪がたくさんついている人は、やや痛いと感じるかもしれないが、マッサージを続けるうちに痛みがひき、二の腕がシェイプされていく。逆側の腕も同様に。左右5回ずつ。

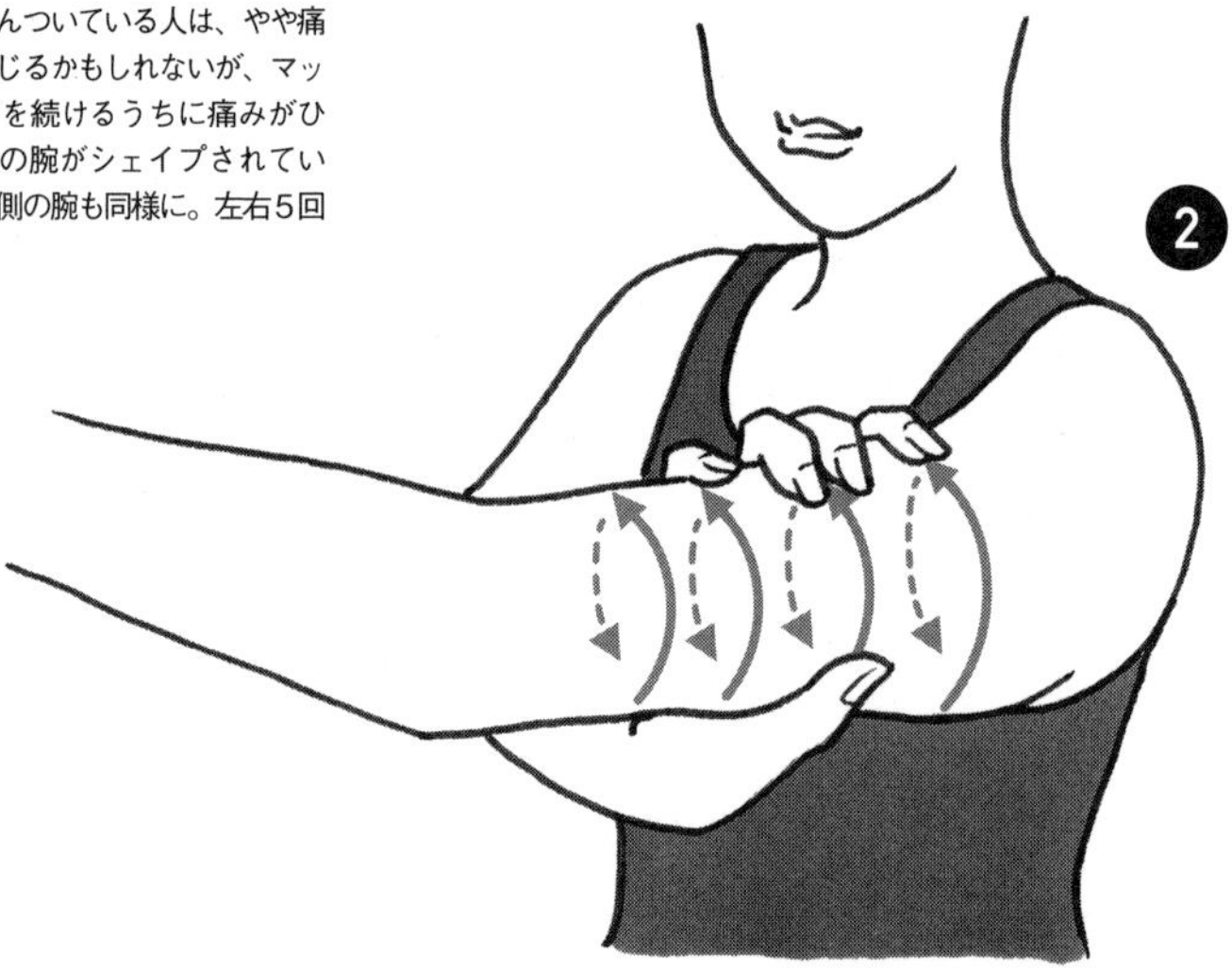

How to Massage?

脇

リンパ節をグリグリとほぐす

❶片方の腕を高く上げ、逆の手を使って、脇のくぼみ部分をグリグリと5回ほど押し回す。ここにはリンパ節があるので、よくマッサージをしてほぐしておく。こうすれば、リンパの流れもスムーズに。❷さらに同じ手で体のサイドをつかむようにしながら、脇の下からウエストまですりおろしていく。

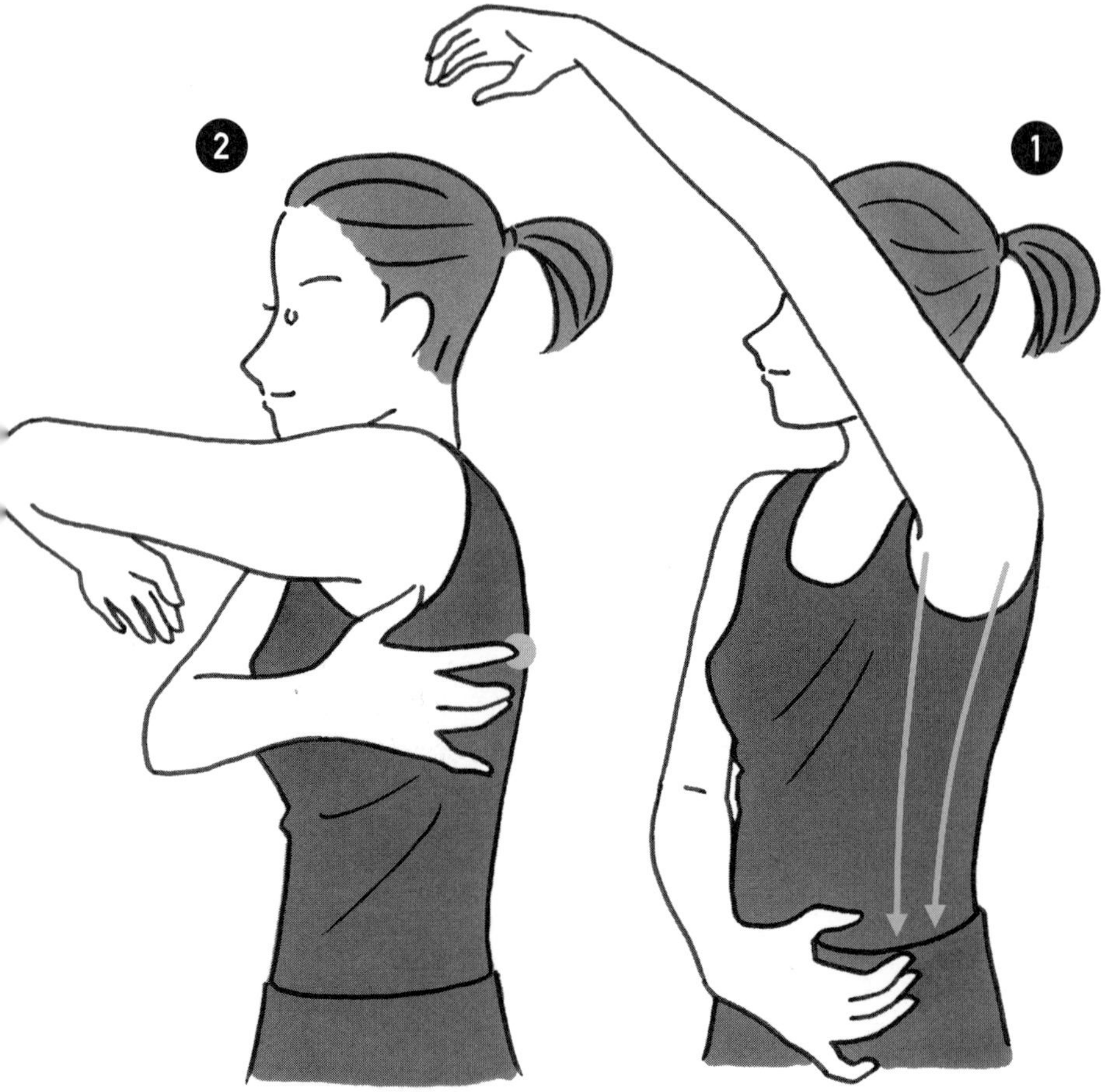

体の〝マチ〟部分を整えていく

体の側面〝いわゆるマチの部分〟は、手入れを怠りがちなので余分な脂肪がつきやすい。❶脇のくぼみのマッサージ後、同じ手で体のサイドをつかむようにしながら、脇の下からウエストまですりおろしていく。計5回行う。

❷体のサイドをスッキリとさせるための2番目のマッサージ。手はそのままで、右手の指の腹を使って、左肩甲骨の内側横のくぼみをグッと押す。

How to Massage?

体のサイド

3段階で脂肪を前へ引き寄せる

❸そのまま右手全体で圧力を加えながら、胸まで脂肪を引き寄せる。続けて、胸のやや下、ウエストと3～5段階で脂肪を移動。これを5回繰り返す。逆サイドも同様に。

まずは額の
“引き上げ”から

❶左右の手のひらを額の上で重ね、そのまま頭頂部に向かってグイッと手を引き上げる。これは、額部分のたるみや横じわを防ぐだけではなく、顔全体のリフトアップにもつながる。これこそが、「一枚皮」の原理。❷そのまま、頭頂部までひっぱり上げプッシュ。

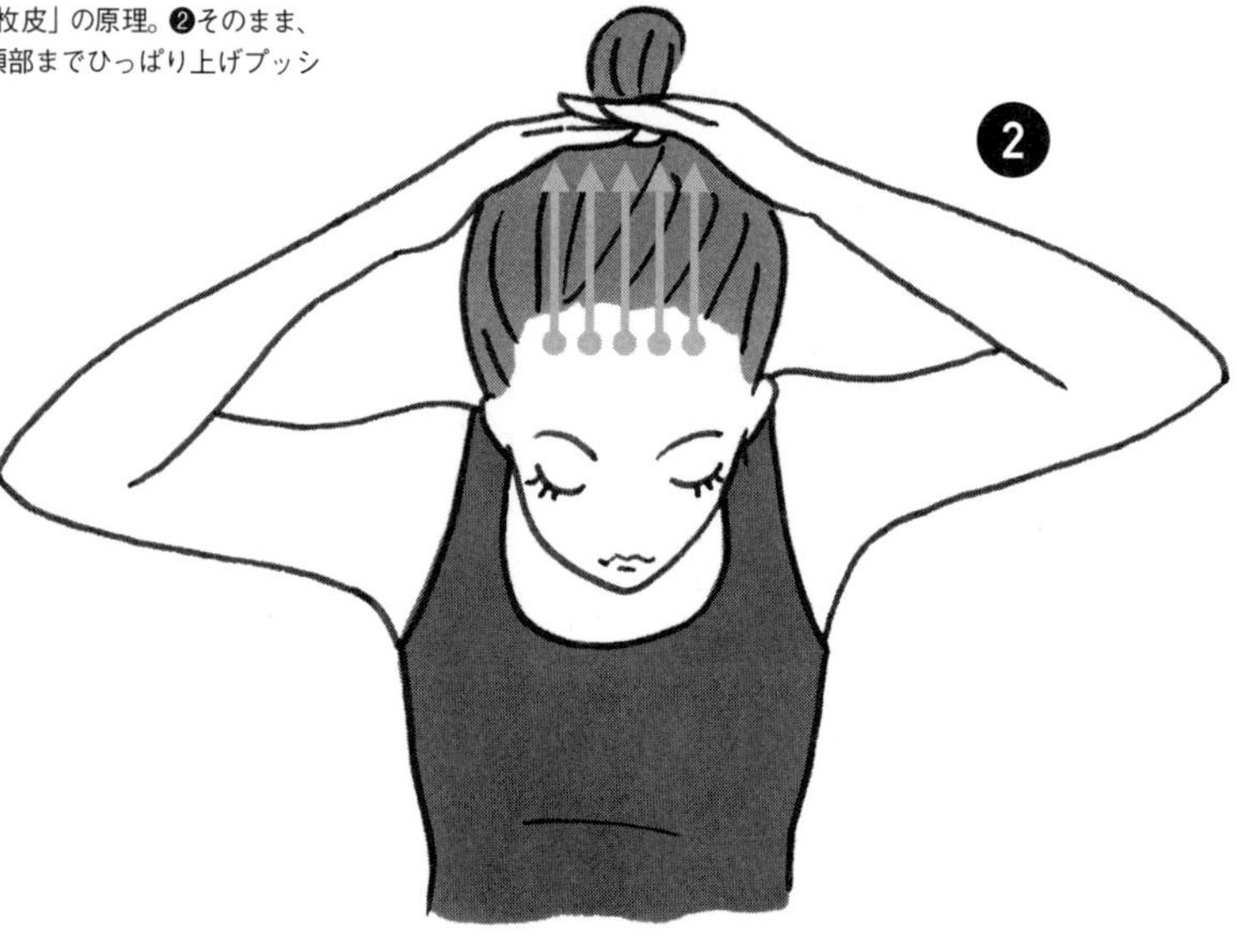

How to Massage?

頭

❸

10本の指を使って頭皮を指圧

❸額をリフトアップしたら、左右の手を開き、10本の指で頭をつかむように指圧をしながら、頭の前から頭頂部へと少しずつ手を移動していく。さらに指圧を繰り返していき、❹つかんだ手が襟足のつぼまできたところで、頭のマッサージはフィニッシュ。これを3回繰り返す。左右の親指で、盆の窪を押す。

❹

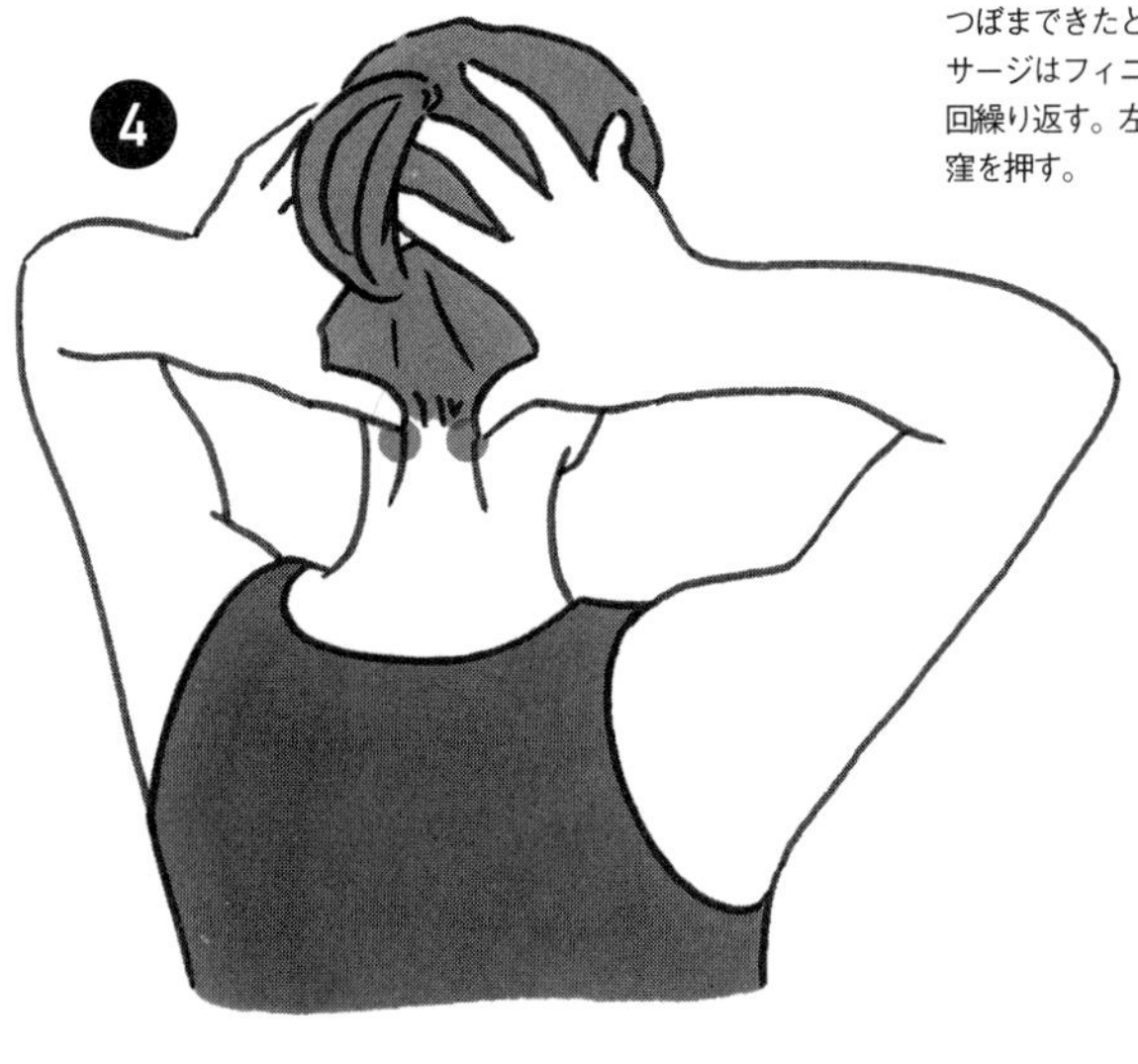

❶

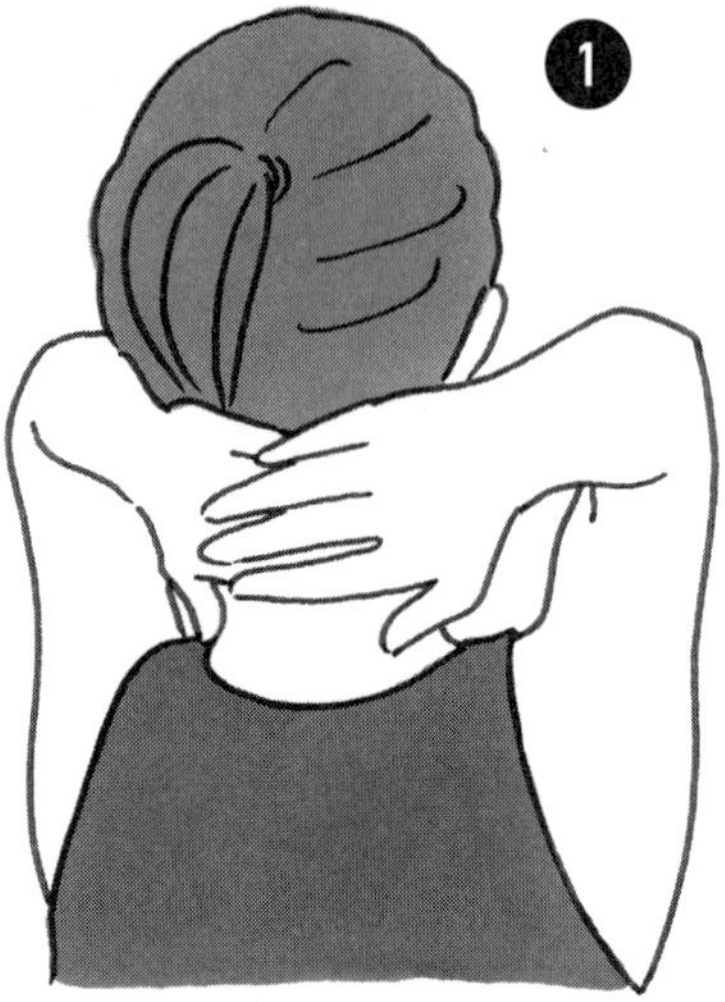

❷

後ろから前へと両手を動かす

リンパの流れをスムーズにするとともに、〝老い〟を感じさせる首のたるみや横じわをケアするためのマッサージ。❶まず、首の後ろで左右の手を重ね、❷首前に向かって、それぞれの手を移動させていく。❸首前まできたら少しアゴを上げ、それと同時に手を縦向きにする。

How to Massage? 首のリンパ

首前の手を一気にみぞおちまで

❹首前まできた手を、そのままみぞおちに向かって一気におろしていく。❺溜まった老廃物を押し流していく気持ちで。再び首の後ろに両手を置き、ここまでの一連の流れを3回繰り返す。このマッサージを集中的にやれば、首からデコルテまでのラインがスッキリとし、顔の印象も変わってくるはず。

肩をつかむようにして前へ

肩凝りに悩んでいる人は、特に積極的にやってほしいマッサージ。❶まず、右手を左肩の上にのせ、肩をつかむようにしながら、前に向かって手を移動させていく。このとき痛いと感じたら、体の循環が滞っているということ。マッサージで正常な状態へと戻していこう。

How to Massage?

肩

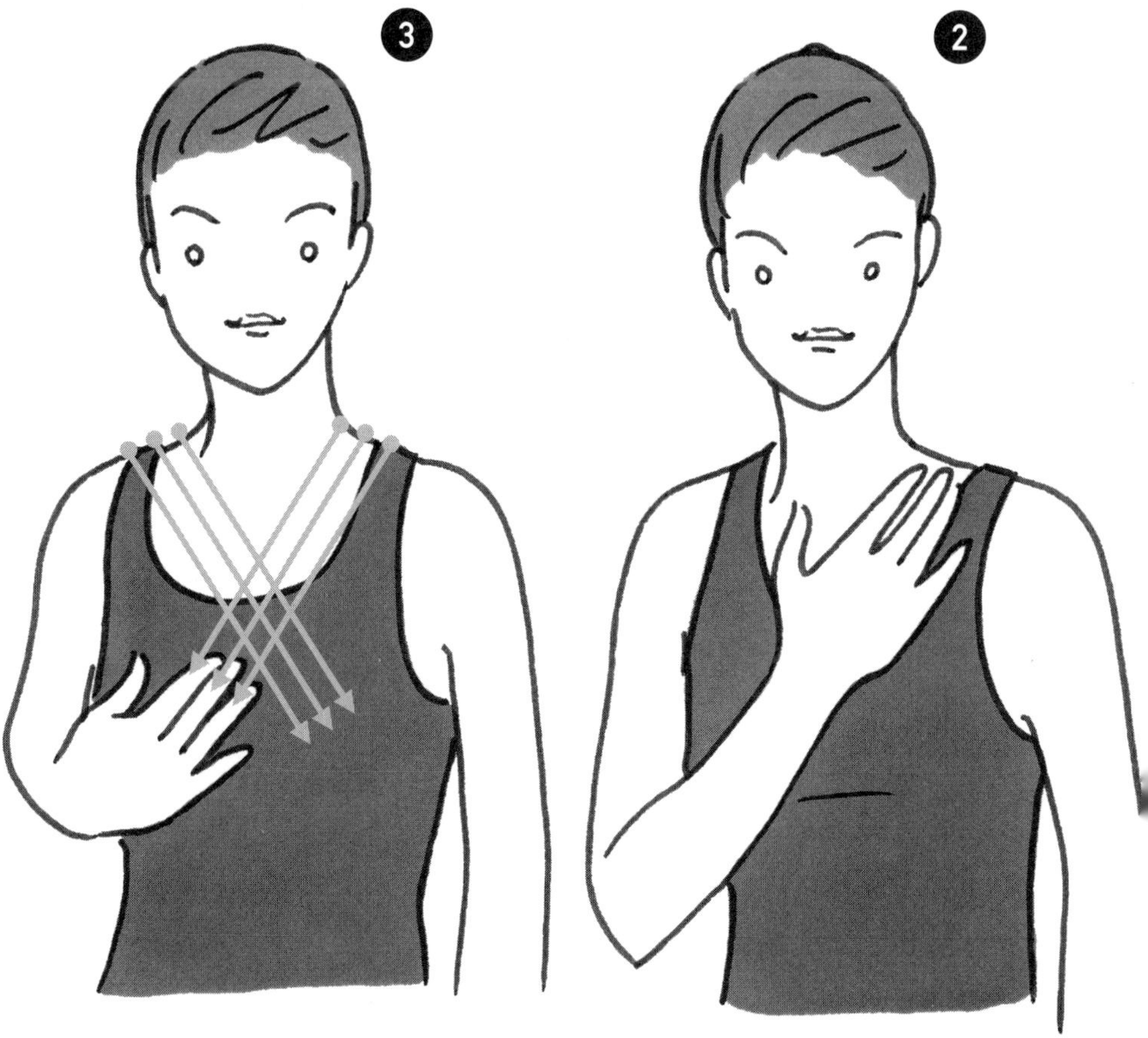

斜め下に向かってなでおろす

❷そのまま圧力を加えながら、手を斜め下に向かって移動していき、胸の中心までもってくる。❸右肩も同じ要領で、肩をつかんでなでおろしていく。〝たすきがけ〟をイメージするとスムーズに。左右交互に3セット行うのが目安だが、肩が凝りやすい人は5セットでもよい。

前～内側

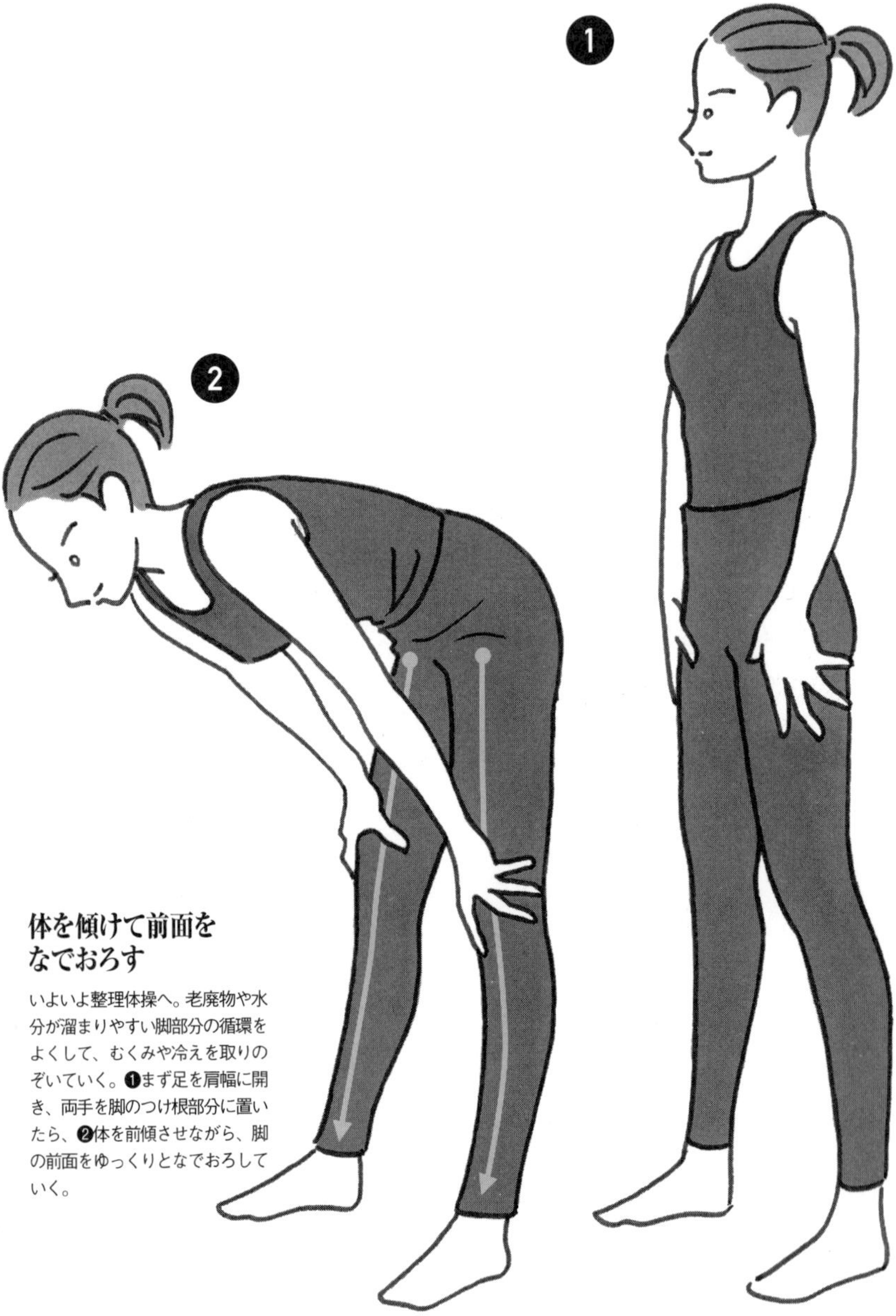

体を傾けて前面をなでおろす

いよいよ整理体操へ。老廃物や水分が溜まりやすい脚部分の循環をよくして、むくみや冷えを取りのぞいていく。❶まず足を肩幅に開き、両手を脚のつけ根部分に置いたら、❷体を前傾させながら、脚の前面をゆっくりとなでおろしていく。

How to Massage?

脚

足首を
マッサージ

❸両手が足首まできたら、そのまま足首をつかみ、手首をクルクルと回してマッサージ。

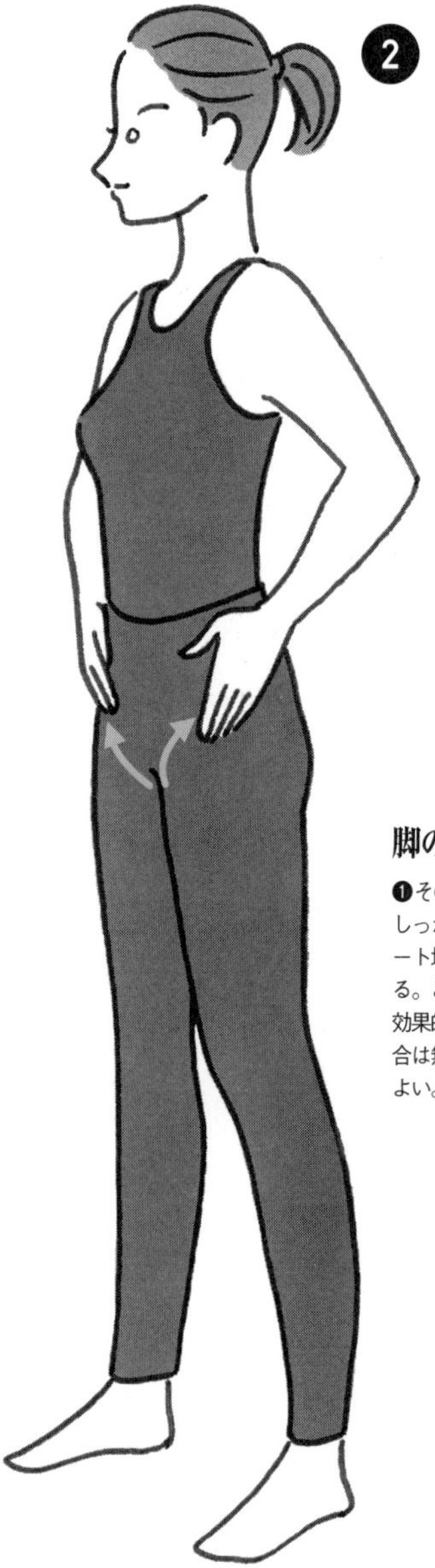

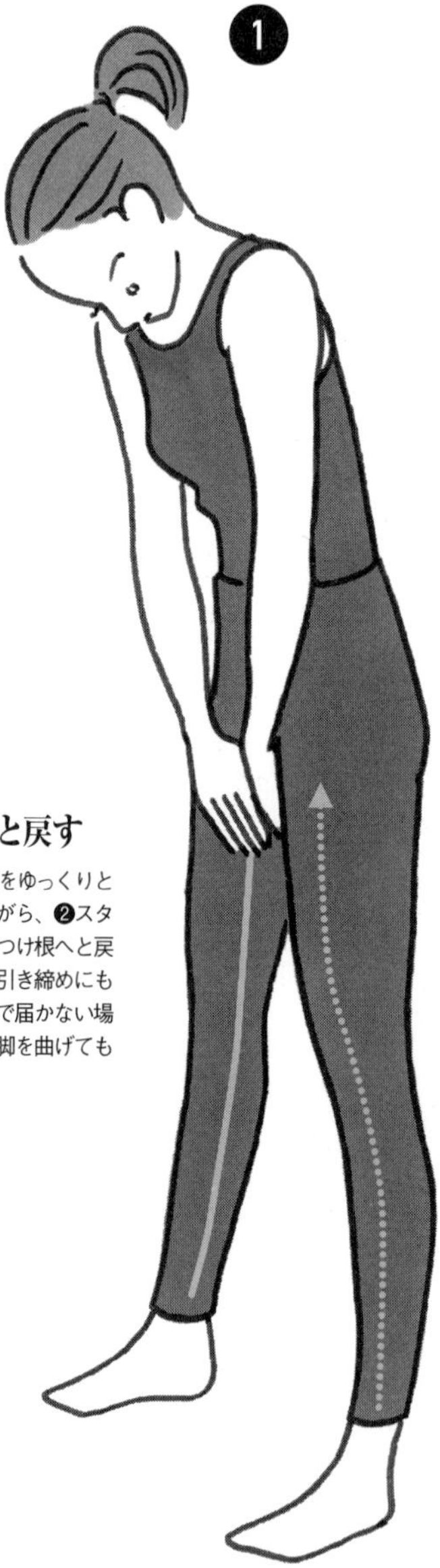

脚のつけ根へと戻す

❶その後、脚の内側をゆっくりとしっかりなであげながら、❷スタート地点である脚のつけ根へと戻る。これは、足首の引き締めにも効果的。手が足首まで届かない場合は無理をせずに、脚を曲げてもよい。

How to Massage? 仕上げ

脚の後面を下へと流していく

❸今度は脚の後面をマッサージ。からだを〝くの字〟に曲げて、ヒップの下に手を置き、太ももをつかむように、そのまましっかり、ゆっくりと脚の後ろをなでおろしていく。❹両手が足首に到達したら、脚の前面のステップと同様に、足首をつかんでクルクルと手首を回す。

最後は気持ちよく深呼吸を

❺足首をつかんだ手をそのまま前へと移動し、両手を軽く重ねる。そのままの状態で、❻目は指先を見て、ゆっくりと手を持ち上げながら息を吸う。❼もっとも高い位置まできたら、❽静かに息を吐きながら両手を体の脇へ。一連の動きを3回繰り返したら、体整形マッサージは終了。

How to Massage?

仕上げ

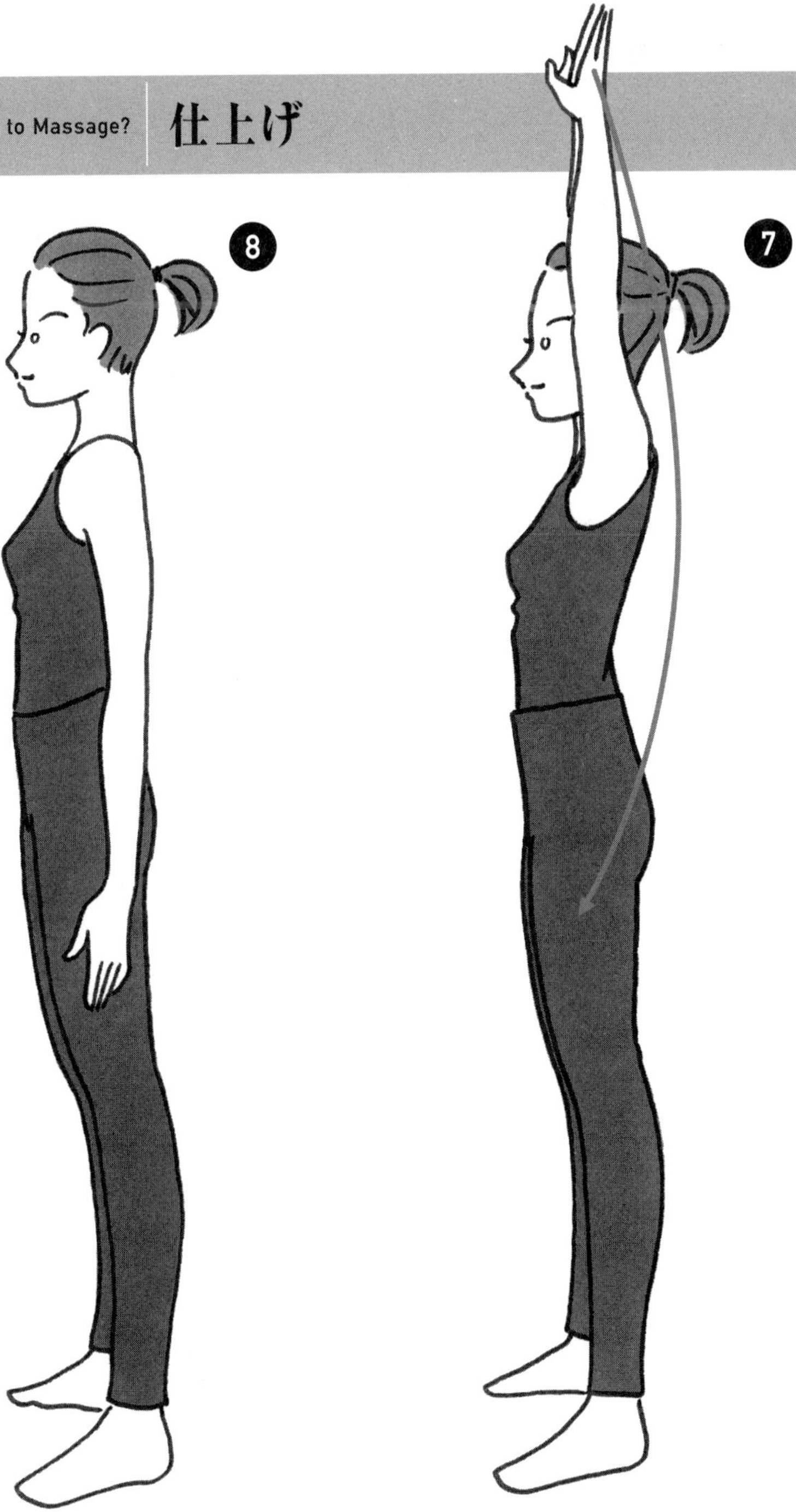

Column #1

脳は「冷えているところに脂肪を」と指令する。だから冷えをもたらすむくみは大敵なのです

王 尉青先生

食べすぎたわけでもないのに、体重が増えてしまう――太ってしまったと考えがちですが、それは「むくんでいる」ということなのです。むくんでしまうのは、日々生活していれば避けられないことです。でも、体液（リンパ液や血液）の流れをよくすることで、むくみは改善できるのです。

リンパ液は関節の中に入り込んでいます。ですから、関節の部分をマッサージすることは、リンパの流れを滞らせないために必要です。そして、関節と関節の間も流れをよくしておきます。もしリンパを詰まらせたままに放っておくと、むくんだ部分に冷えが生じます。人間の脳は、「冷えたところに脂肪を」と指令するようにできていますので、その結果「太る」ことになってしまうのです。

湯船に入ると、皮下が刺激されて有酸素運動している状態になります。筋肉がほぐれた入浴後のマッサージは、より効果的といえるでしょう。

また、胃腸の働きがスムーズにいっていれば、人間の体はいつでも代謝がよく、ついつい太ってしまった、なんていうことはないのです。ところが現代人の生活は、人間の体のしくみに合った本来の生活と相反しているようです。

胃は日の出とともに活動し、日没とともに休止します。反対に腸は、太陽が出ている間はお休みし、日が沈んだときから働くと考えてください。日が出ているうちは食べ物を口に入れてもいいけれど、日没後はなるべく食べないようにするのが理想なのです。ところが実際には、食べすぎに加え、寝る直前まで物を食べ、そのうえに寝る時間も遅く短い。すると今度は腸の働きまで悪くなり、消化できないままでいるのです。

美味しいものは食べたい。けれども太りたくない。誰でもそう思っています。だったら食べ方（食べる時間帯や速度、そして量）に気をつければよい。それも太りにくい体をつくる第一歩です。

王 尉青

上海第一医院大学卒業後、上海市第六人民医院勤務を経て来日。北里大学の研究員を務めるかたわら、東京・青山と吉祥寺の治療院でスペシャルアドバイザーとして、ダイエットをはじめ、さまざまな現代病の治療にあたっている。

第3章

日々のメンテナンスで若さを保つ

Beauty Artisan
Yukuko Tanaka
Method for Body

拡大鏡を見る

よくホテルの部屋に、裏が拡大鏡になっているミラーがあります。

そうすると私は、いつまでも拡大鏡の面を眺めているのです。女性に拡大鏡を差し出すと、たいていの場合、ギョッとして3秒も見ていられません。

でも私は、拡大鏡を覗き込むのが好きです。なぜかというと、今の自分の欠点を正視することが悩みの解決につながるからです。

「うわっ、毛穴が目立つ」「ほうれい線が出てきた」「目尻が下がってきたなぁ」という、その程度でいいのです。自己診断って、そのぐらいしかできません。それを見て、「よーし、マッサージやるぞ！」と奮い立つ。さらに変わった顔を見て「よし！」となる。欠点と向き合って、自分の手でそれを克服していくという、元気な一日がここから始まるのです。

女優さんでも、拡大鏡を持ち歩く方というのは多いものです。一般的に拡大率は3倍ですが、なかには5倍の人もいる。当然、アラもクッキリと見えます。でも、それで美しさに素直になれる。

拡大鏡という〝過酷な状況〟のなかで自分に納得できたら、普通の鏡を覗き込むと、「美しさの満足」ということになりますから。

シミやシワなどをメイクで覆い隠すと、どうしてもネガティブな気分になってしまうものです。

たとえば至近距離で人と会ったり、明るいティールームにいると、「お化粧が崩れていないかしら」「目元のシワはどうかしら」と、気になって仕方がない。

そういう弱点を一度、自分で受け止めてしまったほうが楽なのです。そして、克服法を考えていく。

お風呂上がりの自分の裸だって、「醜いから見たくない」という気持ちも分かる。でも、それを正視して、「お尻が大きくなった」「お腹が出てきた」と、自分を冷静にジャッジする。

そのうえで、この醜さをどうにかしようと思うのが、美しさの基本。

これは、すなわち自分を大切にするということなのです。

それから、地下鉄の窓に映った自分の顔から目をそらさないでください。私はいつも見ています。「最近、手入れをサボっているけど、どうかな？　やっぱりサボった形跡が出ている」という具合に。窓はとても正直だから。

醜いものにフタをしてはいけないのです。外では、お化粧をして体型をよく見せる服を着ているわけで、でも自分の前では素に戻ればいいのです。女性には、もっと自覚してほしい。

素の自分と向き合ってほしい。そうすれば、今よりもずっとずっと、自分を粗末にしなくなる。

両頬で笑い、顔全体で怒りなさい

顔というのは「表玄関」。

得する顔がいいに決まっています。でも、表玄関だけに風当たりが強く、ストレスを受けやすく、表情に出てしまうのも事実。

たとえば、嫌いな人と鉢合わせになったとします。それだけでも、顔の筋肉はこわばってしまう。つらいことを考えれば、眉間にシワが寄ってしまう。

こういう日々のストレスの積み重ねで、顔はどんどん変わっていくのです。実際に、人の顔をじっくりと眺めてみると、9割の人は顔のバランスが悪い。

結果、きれいに笑顔が出ない。

片方の頬だけで微笑んだり、口先だけでフフッと笑ったり。そうすると、とても品のない顔になったり、人を小馬鹿にしたような顔つきになる。

片頬で笑ったり、片眉を上げてしゃべらないことです。そういうことが習慣になると、貧相で無表情な顔が出来上がります。

笑うときには、両頬を使って思い切り笑う。怒るときは、眉間にシワを寄せてもいいから、顔全体で怒る。さっそく、今日からはじめてみてください。

表情のある素敵な顔は、ツンとした造作のよい顔より、ずっと美人に見せてくれます。

顔の「マチ」

顔にもマチがあります。

すなわち横顔、フェイスラインからあごのラインと首筋の流れ。それが顔の「マチ」なのです。

そもそも顔をマッサージする目的は、この顔のマチを変化させること。これで小顔を造ることにあるのです。

体も顔も、このマチがいかに重要か。それは普段、自分にとって死角となってしまっているところですから、角度によってたるみが最大に出てしまう。

顔から首につながるいちばん大切な、体でいえばウエストに当たる〝くびれ〟のライン、つまり、あごのラインをシャープに出すことで、いつまでも若くいられる。

横顔、あごのライン、首の太さ、自分で気がつかない部分に、たるみや老いは出るのです。

顔そのものより、顔の側面に気をつけて。

スキンケアも足し算、引き算

まずは洗顔。「完璧に」洗うことに徹します。

メイクをしていても、していなくても、クレンジングで汚れを落とし、さらに石けんで洗顔すること。このダブル洗顔は必須です。排気ガスや細かい粉塵で、顔は私たちが想像している以上に汚れているのです。そういうものをきれいに取り去り、肌を清潔にすることが、スキンケアの第一歩なのです。

清潔な肌に必要なのは、水分と保湿をバランスよく適度に与えること。女性の肌の悩み。たるみ、くすみ、小じわ、毛穴を気にして、過剰な保湿を肌に与え続けると、肌は柔らかくなりますが、弾力が失われやすい。

（85ページに続く）

ここ何年も愛用している猪の毛を使ったクッションブラシ。大きいほうは日常使い、小さいものは旅行のときなど携帯用として。

ブラシに被せたガーゼが、髪の毛の汚れや頭皮の余分な脂を吸い取ってくれる。髪の毛がなかなか洗えない介護が必要な人などにも、これで対応できる。

Hairbrush

毎晩欠かさないバスタイムには、ネパール産の100%天然の入浴用岩塩を。温泉の硫黄の匂いが立ちこめ、汗のかき具合は半端ではなく、痩身効果も。

色がきれいな天然岩塩はミネラル分がたっぷりと含まれ、引きしめ効果とともに、保湿もしてくれる。

Bath Salt

「やせよう！」と決めてから約1年続けた一日一食のサラダ。ボウルにいっぱい、サラダ菜やレタス、きゅうり、アスパラガス、アボカド、トマト、ゆで卵、生ハムなどを入れ、ドレッシングをたっぷりかけて食べていた。

Salad & Supplement

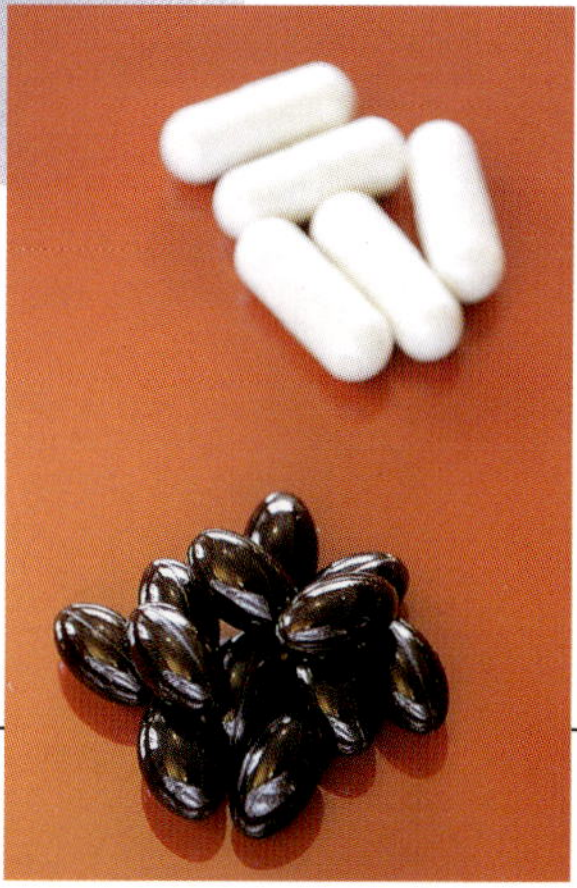

ダイエット中には、脂肪を排出するという「キトサン」（白いカプセル）を。そして「ちょっと疲れているな」と感じたとき飲用しているのが、天然のアミノ酸たっぷりの香酢。

大好きな中国茶は、娘が上海に滞在中に通っていた、中国茶のお点前の先生にセレクトしてもらって購入。その日の気分に合わせて、薔薇の花の入ったジャスミン茶や、雪茶、ウーロン茶、一葉茶などを味わっている。

肌には自浄作用があるし、結構丈夫です。

あまり過剰な手入れをすると、肌はダレることになり、結果「ほうれい線」が表れ、毛穴も涙形になり、老けた印象の出来上がりとなるのです。

食事をする時、腹八分が健康的だといいます。

肌も肌八分で！

自分の年齢と生活環境で、適度なお手入れを賢く行ってほしい。

シャンプーの役目

むかしは、シャンプーは頭皮をきれいにするもの、コンディショナーは、髪の表面のキューティクルを保護するもの、と用途が分かれていました。
でも今は、明らかにシャンプーが栄養過多。シャンプーにシャンプー以上の機能をもたせているものが大半です。

保湿成分が豊富にシャンプーの中に入っているため、髪の毛を洗ってもさっぱりせずに、ヌルッとしているわけです。それに慣らされていて、「これなら、枝毛を作らない」と思われていますが、栄養過多のシャンプーを使うと、頭皮の毛穴はふさがれてしまいます。そうすると、フケ、抜け毛の原因になり、次に出てくる髪が細い毛になってきます。頭皮の毛穴をすっきりさせ、汚れを完全に落とすのが、シャンプーの本来の役目。髪の毛の汚れは、泡で充分に落ちます。

そのあとは、ひたすらすすぐ。頭皮や髪にシャンプー剤を残してはいけません。

このとき、髪の表面のキューティクルは、ささくれだっている状態。だからキシむのです。それをコーティングするのが、コンディショナーの役目。シャンプーさえきちんと選べば、コンディショナーは髪の質に合わせて選べばよい。

ただし、コンディショナーをつけるのは、毛先から3分の2まで。頭皮の毛穴をふさがないように、髪の毛だけに塗布すること。

なぜブラッシングをしないのですか？

ブラシブラッシングをしない女性が増えていますが、これはとてももったいないことです。

いつまでも髪の毛を健やかに保ち、顔のハリを高めるために、毎日ブラッシングをすることをおすすめします。私の場合は、猪の黒毛を使ったクッションブラシを使用。もう何年も愛用しているものです。

ナイロンの毛は静電気が起きやすいのでおすすめできません。自然毛のクッションブラシであれば、頭皮にも髪にも必要以上の負担がかかりません。

ブラッシングの仕方は、フェイスラインから頭頂部に向かって、そのあと、襟足から頭のトップに向かって、分け目をつけて少しずつ。地肌が気持ちよいと感じるぐらいの強さで、頭皮全体をブラシマッサージします。頭皮をマッサージをするように行ってください。

最後に、髪の毛を毛先からゆっくりソフトに、ブラッシングします。

頭皮を強化すると顔の皮膚のたるみ予防にもなります。頭も顔も一枚の皮膚のつながりなのです。

それから、覚えておくと便利なことは、ブラシにガーゼを被せるというテクニック（81ページ写真参照）。こうすると、髪の毛の汚れや脂がガーゼにつき、外してみるとガーゼは真っ黒。髪の毛はサラサラになります。

病気や旅行などで、「髪の毛が洗えない」という方は、ぜひお試しください。

歯も顔の印象の一部

多くの俳優さん、女優さんと至近距離で接するという仕事柄、口元には気をつけています。

歯磨きには時間をかけ、専用の道具を使って舌苔も取ります。まず、歯と歯ぐきの境目をやさしくブラッシングし、そのあと歯を1本ずつ、表と裏を時間をかけて丁寧に磨いていきます。赤ワインやコーヒーをたくさん飲んだ日は、ステイン（着色汚れ）用ペーストを使って。

最後は、消毒用のうがい薬で口の中をすすぐ。そうすれば、風邪も引きません。私は毎朝コーヒーを飲むし、赤ワインも大好き。だから歯の白さに気をくばります。毎日のベーシックなお手入れと、たまに歯医者さんで歯のクリーニングをしてもらうことぐらいですが。

歯が健康で美しくなければ、思い切り笑うことも、きちんとものを噛《か》むこともできない。

美しい笑顔は口元から。顔の中でも、特に歯は大切。人と会う時の印象は大きいものです。

Column #2

骨格のゆがみは体を自己管理できていない証拠。日常生活の見直しで改善していくべきです

藤牧秀健先生

私たち人間の体のすべての皮膚は、一枚でつながっており、さしずめ体の入れ物のような役割をしています。その下の中身に筋肉や骨格などがあります。ところで人間の体というのは、地球の引力に逆らった二足歩行の骨格構造。ですから、4本足の他の動物と比較すると、要となる腰に負担がかかり、ゆがみやすくなっているのです。腰をはじめ、脊椎や頸椎などの骨格がゆがむと、さまざまな部分に支障をきたしてしまいます。

骨格にゆがみが出ると、体の筋肉はその部分をカバーしようとして、緊張します。その状態が続くと血管が細くなり、血液の循環が悪くなって、背筋などの緊張においては内臓疾患を煩ってしまう可能性も出てくるのです。

動いている限り、骨格はゆがむもの。だからといって生活している以上は、動かないわけにはいきません。ですから、骨格をなるべくゆがませない、バランスのとれた筋肉でいるために、日常生活を見直す必要があると思います。

・お茶を飲んだり、本を読んでいるとき、ついつい足を組んでいませんか?

・人の話を聞いたり、考え事をしているとき、どうしても同じ側の手で、ほおづえをついていませんか?

・パソコンに向かったり、食事をするとき、体をねじったままの状態にしていませんか?

・首に負担がかかる、もしくは首に合わない枕を使い続けていませんか?

日々の生活のなかで、バランスの悪い動作をしないように気をつけるだけでも、骨格のゆがみをある程度防ぐことになるのです。

頸椎のゆがみを直せば、自然とむくみにくい顔になります。骨盤のゆがみを調整すれば、婦人科系、泌尿器科系の疾患が完治するケースも。骨格のひずみによって起こる循環器不全がなければ、更年期の症状は出にくくなります。まずは健全な骨格でいられることが大事です。

藤牧秀健

整体により体型はもとより、人格も変えるというボディデザイナー。現在、骨格矯正によるナチュラル・ダイエットを研究中。

第4章

贅肉のない人生

Beauty Artisan
Yukuko Tanaka
Method for Body

美しくなることは、自由になること

「素顔はイヤ！」

「ガードルをつけないと、自信がない」

「足首が太いから、ヒールのある靴が履けない」

いくつもの「不安」とともに、女性は暮らしています。

そういう事を、全部とっぱらいたかった。そうすれば、女性たちは、もっと生き生きと楽しく毎日を暮らせると思ったから。

たとえば、肌がきれいになって素顔に自信が持てたら、まずひとつ、「メイクで顔を隠す」という呪縛から解き放たれるわけです。さらに、ヒップが上がればガードルで体を締めつける必要がなくなるし、足首を細くすればヒールだって似合うようになる。こうして、ひとつずつ自分の弱点を解決していけば、ストレスの残らない毎日が過ごせるのだから、まず体形から変えていく。でもそうなると、今度はまたいろいろな「ねばならない」という制約をつけたがる。

「睡眠はたっぷりとらねば」
「一日何品目食べなければ」

ビューティにおいて、「ねばならない」はタブーです。

それだけで女性は、美しくなることをあきらめてしまう。

私は、睡眠時間は2～3時間だし、食事も不規則だし、でも毎日が満足でストレスがない日々を作る。ルールは自分で決めればいい。

ところで、この世に美しくなりたくない女性なんて、いるのでしょうか？

「化粧？　面倒くさい、どうでもいい、時間がない、もう年だから」

確かにこういう女性は大勢います。けれども、クリエーターをしていた某化粧品メーカーの第1号店のオープン日に、私は自分の目で確かに見たのです。化粧をしていない女性たちがくるのを。

百貨店の1階にある化粧品売り場というのは、いってみれば情報の氾濫の場。

でもこのときばかりは、それまで決してこのフロアに足を踏み入れなかった「新規客」が大勢、店舗に並んでいた。

オープンの数日前、朝日新聞に私のインタビュー記事が載りました。そこには、『年齢を重ねるのは楽しい。肌の悩みなど、これからはメーキャップで簡単にひっくり返せます』というタイトルとともに、撮影現場での出来事や、それに基づいて私が化粧法を編み出していったことなどが綴られていたのです。

「新規客」の多くは、その記事を読まれた女性。なかには記事を読んだご主人とともに、来店された方もいらっしゃいました。

世の中の女性が、みんなコスメフリークというわけではありません。本当に醜い人など、この世にはいなくて、誰もが自分の手できれいになることを望んでいるのです。

その手段は、毎日エステに行くことでもなく、高級化粧品にうずもれることでもなく、自分の手で美しくするのです。

年を重ねる恐怖、「ねばならない」という重さ。あらゆる呪縛から解き放たれて、すべての女性が「今の自分が一番美しい」と思えるようになる。簡単なことです。

すべては「循環」にある

「田中さんはすごい。もうわかっているね、地球の重力のことを。だって、手を下に動かして、マッサージをしているからね」

「顔筋マッサージ」を整体の先生に試したとき、こういわれました。

『わずか3分のマッサージで、7年前の顔になる』

『ぐいぐいと圧力をかけて、イタ気持ちいいほどのストローク』

『顔にも〝凝り〟がある』

顔筋マッサージが世に出たとき、これまでに聞いたこともない理論に、多くのメディアは「美容の常識を覆す」という表現をしました。たしかに、顔のマッサージはやさしくやさしく、肌表面をなでるように行うのがそれまでの常識。そして重力で垂れてくる顔を「引き上げる」のもまた、美容の常識だったのです。

女優の顔のたるみ、くすみ、毛穴、小じわを、厚化粧せずに改善できないものかと悩んでいたころ、撮影現場で見た医療現場のセット。そこに置かれていた人体模型を何気なくながめていた私は、ある発見をしたのです。

「人間の顔というのは、骨の上に筋肉がついていて、血管、リンパがこういうふうに走っているのか。だったら、肌表面よりも、筋肉へのアプローチだ！」

そう確信してから、生体メカニズムに関する本を読みあさりました。ものごとを徹底的に追求して、結論を出すという性分は、学者であった父親譲り。そして私は、ハードルが高いほど頑張れるタイプなのです。

こうして12年の歳月をかけて完成したのが「顔筋マッサージ」。
「美容の常識を覆してやろう」などという大それた気持ちは、微塵もありませんでした。私が行なったことはごくシンプルで、女性の悩みを解決したこと、それだけです。

つまり顔筋マッサージは、老廃物を流し、脂肪を散らし、筋肉を強化して、血液やリンパがスムーズに循環するように開発したもの。血液やリンパの循環をよくするためには、心臓に向かって、なでおろす必要があったのです。

さて、3分間の顔筋マッサージによって筋肉がしなやかになり、脂肪が散り、血液やリンパがスムーズに流れはじめると、むくみがとれ、顔にめりはりが出て、フェイスラインの「もたつき」がなくなります。さらに、頬骨が出て顔に立体感が出る。循環がよくなるから肌が生き生きとする。顔がひと回り小さくなる……。

それは、どんな小顔のモデルでもそうでした。さらにマッサージを終えるとみな、お手洗いに行くのです。これが、むくみの元である「余分な水分」「老廃物」が出た証拠。

「顔だけでこれだけの結果が出るのだから、体にはもっと効果があるはず」

私は確信を深めていきました。

体の自己管理

かつて46キロだった体重が70キロ台になったとき、見た目の問題もさることながら、私にはどうしてもやせなければいけない理由がありました。ヘアメイクアップアーティストという私の仕事は、撮影中、いつ何どき事件が起こるか分かりません。

「田中さん！」

と声がかかれば、すかさず女優のもとへ飛んでいって、乱れた髪やメイクを直さなければならない。そのときに、大道具や照明の隙間を縫って駆け寄るわけです。万が一、照明にぶつかりでもしたら……。映像の世界は、その場限りの一発勝負。「すみません」ではすまないのです。だから、何としてもやせなければなりませんでした。

そこで私は、こんな食事を考案したのです。

サラダボウルいっぱいに、トマトやアスパラガス、レタス、サラダ菜や、生ハム、ゆで卵、アボカドなどをいろいろ入れて、そこに好きなドレッシングをたっぷりとかける。これを思い切り食べていました。そのかわり、「一日一食」という、自分で決めたルールを守る。

それと、体内の脂肪を排出する効果があるという「キトサン」のサプリメントを飲むこと。これを1年間続けました。

そのうちに、体重は少しずつ戻っていったのです。

そんな私が先日、整体の先生のところに行ったら、「田中さんの体は、10代の青年のようだ」といわれました。しなやかな筋肉がまんべんなくついていると。

私は運動は一切していません。していることはただ、骨を整えて体内を「循環」させているだけ。それだけで、最近は確実に顔と体がシャープになっている。

年を重ねれば重ねるほど、肌はきれいになってくる。ホルモンのバランスがいい方は、それこそもっときれいになれるはずです。

もうひとつ大事なこと。自分の管理の中に体重計があります。体重、体脂肪、内臓脂肪の比率を常に把握していること。そうすれば、生活ペースがわかり、管理できることになります。

やせているのになぜ、こんなに体脂肪があるのか不思議に思える人、それはストレスがエネルギーの燃焼にストップをかけるからではないか、と私は思います。思い当たる人が結構いるのではないでしょうか。

体のメカニズムには、まだまだ解明されないものが大いにあります。

生活のリズムは、人それぞれで基準はないのですが、体重計でわかるいろいろな部分の数値や、生活をじっくり見直すと、原因がわかってくる。

体の管理は、データとともに自分の反省で解決。

ストレスを翌日に持ち越さない

今すぐベッドに入ったとしても、そのままの精神状態では眠れないというとき、私は、睡眠時間を削ってでも、本を読む時間を作ります。そして精神を休め、自分自身を取り戻して眠りにつく。翌日の元気な目覚めのために。

ストレスがたまり、気分転換が必要なときは、庭の草むしりや床のワックスがけ、クリスタルを磨くことで無心になれる。無心になることで私はストレスが残らない。

毎日が忙しく、仕事に追われ、とにかく慌ただしいとき、私はこうして気分転換をし、元気を取り戻します。

洗いのマナー

体を洗うこと、これは戦いです。

毎日お風呂に入っているのに、体のマチの部分をよく洗っていないということに、お気づきでしょうか？　たとえば、手の甲、腕の内側、脇、脇腹、足の内側……。死角となってよく洗っていないところが、意外と多いのです。体の前と後ろの面だけではなく、側面もマッサージするように、丹念に洗い上げる。ここはリンパ、循環の要所。

洗うことで、痩身にもつながり、一石二鳥なのです。

バスルームは、ワンランク上をめざす女の戦いの場。

その後は、リラックス・タイム。洗った後には必ず、血行をよくするためにも、浴槽に浸かる。そして、好みのアロマエッセンスやオイル、バスソルトの香りに包まれて、リラックス。充実した体の循環と、贅沢な気分が味わえます。

浴槽に浸かる〝必然性〟があるのを、おわかりになられたでしょうか。

指先、手がどれだけ美しいか

手のケアには細心の注意を払っています。荒れた手で女優さんやモデルさんの顔に触れるなんてもってのほか。指にささくれができても、仕事になりません。私は必要にかられ、手入れをしています。

手というのは、常にむき出しで無防備そのもの。顔が美しくても、手が荒れていては魅力半減です。逆に、手が美しい人は、大人の品性を感じさせ、魅力的です。

一番シンプルなお手入れ法は、夜寝る前に、ハンドクリームをまんべんなくすり込み、綿の手袋をして休むこと。朝はつややかな肌であることを、お約束します。

それから、手の肌にも色があるのを意識されたことはありますか？　赤味がかった肌、黄味がかった肌、白味がかった肌、黒味がかった肌、青味がかった肌、自分の肌色に似合うネイルを選ぶことをお勧めします。手に透明感が出ます。

手の印象がもっと素敵になることで、側にいる人の心も、ときめかせてくれることでしょう。

パジャマは断然、シルク

パジャマはシルク、と決めています。

なぜかというと、寝返りを打ったときに、掛け布団をひっぱらないし、スルッと回って、布団と体に隙間ができない。シルクの高級感がどう、ということではなくて、単純に何て楽なんだろうと思う。寝返りを打とうとして、あれ？　なんか痛い。なに、パジャマが溜まってるということもないのです。寝返り自由。パジャマがずり上がってくることもない。だから、よいのです。

それから、睡眠に関していえば、枕には気をつけていただきたい。

今はオーダー枕といって、何万円もするものがありますが、あれは体にゆがみがある状態で作っても意味がないのです。きちんと骨格を正してから、自分に合った枕を作るべきです。

あと、凹凸のある枕。これは横向きになった時、凹の部分に頭が入ると、凸の部分に頬を押しつけて寝てしまう、起きたときに、頬に縦ジワがしっかりと刻まれてしまうことがある。

だから、私はもっぱら「もみ殻」の枕。これなら形状が自在に変わるから、横を向いて寝てもシワができにくくなるのです。寝ている時間にも、顔に余計なシワを記憶させないように、気をつけるべし。

嘘は罪

人間は、常に美しく、かっこよく、素敵でいたいと思っています。年を重ねるごとに、それらの言葉からのギャップが生じて、人は嘘をつくことになります。

しかし、美しいことがどういうことか、かっこいいことがどういうことか、素敵であることがどういうことか。それは年を重ねないと身につけられないことでもあるのです。

人生の年代ごとにどう生きるかで、素敵な女性が生まれるのです。

真摯に生きてこなかった人。たとえば、物事を人のせいにしたり、世の中のせいにしたり、仕事のせいにする。自分を甘やかし、正当化するために、ウソの人生を送ってきた人は、それを老化という現象として背負うことになります。

つまり、長い人生のウソの積み重ねは、大きな罪となって、人を早く老けさせていくのです。

「顔のマチ」「体のマチ」で、
すべての印象が決まる。
年齢に関係なく、
自分の手で、顔も体も造り変える。
継続は美貌なり。

傲慢で、繊細で、優しくて、大胆で。
でも、女性は可愛い……。

天使のように大胆に、悪魔のように繊細に。
この言葉が私は好きです。

今まで生きてきた中で、本当に沢山の経験をさせていただき、多くの知恵を授かりました。結婚、出産、子育て、離婚、更年期、親の介護……そして仕事。その背景につねに流れているのは、どう自分が成長していくか、という課題でした。

この60年、すべてが順風満帆ではありません。さまざまな出来事や事件が起こるたびに、思い悩むこともありました。

けれど、この年齢になって振り返ると、わかってきたのは、人生は喜怒哀楽があるからおもしろいということ。いろんな人々との出会いがあるから、自分自身が成長していく。この思いは、若いころより強くなっています。

還暦を過ぎ、人生を穏やかにゆっくりと、静かに過ごすことを選択される方もいらっしゃると思います。けれど私は、むしろ今まで以上に、自分自身の成長を止めず、前に進んでいくことを決意しました。

多くの女性に愛していただいた化粧品ブランド〝SUQQU〟のク

リエイターをこの秋に離れ、新たな美の世界を追求するために、今また出発点に立っています。

そのスタートとなるのが、この『体整形マッサージ』なのです。若い、美しい、というのは、顔だけのことではありません。だれもが美しさを全身からオーラのごとく放つために、体も自分の手で、責任を持って造り上げていく。決して無謀なことではありません。私自身が身をもって体験しているのですから。

そして、ボディラインが美しくなるということは、他人の評価を高めるためだけではなく、人生にゆとりを持たせる〝心の贅沢〟であることをみなさんに伝えていきたい。

見た目が変わることで心身に及ぼす影響がどれほど大きいことか。だから美容はおもしろいのです。

体のむくみが解消される。ゆるんだ体が締まってくる。体が自由に動く。立ち居振る舞いがしなやかになる。年齢を越えたこういう変化が、女性に勇気を持たせ、美しく輝かせてくれるのです。

美容の仕事に携わったときから変わらない私の信念である「女性はもっと簡単に、自由に、楽しく美しくなれる」ことを、『体整形マッサージ』を通して、より多くの女性が体験し実感できるように――。そんな思いを託し、このマッサージを考案しました。

まだまだ知らないことは沢山あります。「美」というものの奥の深さが私を奮い立たせ、活力を与えてくれます。

女性はきれいになると心が元気になる、その真実に向かって、また一歩一歩、確実に挑戦し、生きていきたいと思っております。

田中宥久子

田中《たなか》宥久子《ゆくこ》の体整形《からだせいけい》マッサージ

2006年11月17日　第1刷発行
2007年10月10日　第13刷発行

著　者　田中《たなか》 宥久子《ゆくこ》

発行人　野間 佐和子

発行所　株式会社 講談社

〒112-8001　東京都文京区音羽2-12-21
電話（出版部）03-5395-3953
（販売部）03-5395-3625
（業務部）03-5395-3615

印刷製本　大日本印刷株式会社

カバー本文デザイン　福田 由起子（FORM）

ISBN 4-06-213777-1
N.D.C595　21cm　140p

仕上げ
1
2
3
4
5
6
7
8

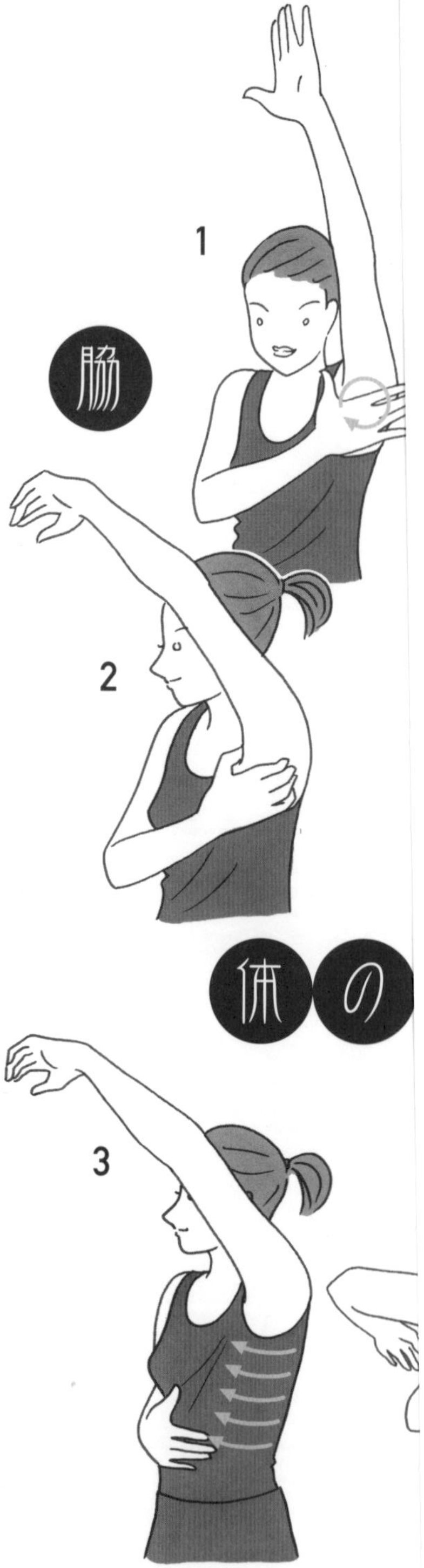
腋
1
2
体の
3